DRA. MONIKA ZIMMERMANN

55 juegos y actividades
para niños

Tranquilizadores, divertidos y relajantes

➤ Estimulan su creatividad, su imaginación

HISPANO EUROPEA

Índice

Paso 3: Combine los juegos usted misma 69

Prólogo

El sueño de muchos padres es poder disfrutar de la tranquilidad junto con su hijo y dejar volar la mente. Esta guía propone una gran variedad de ejercicios tranquilizadores que le permitirán cumplir esos deseos junto con su hijo. Los ejercicios se presentan en forma de juegos, resultan divertidos, estimulan la imaginación y son un contrapunto para las cargas y las prisas de la vida cotidiana. Además, su hijo aprenderá a eliminar el estrés y a concentrarse mejor. Este libro está dirigido a los padres de niños en edad de parvulario y educación primaria. Le apoyará paso a paso siempre que desee conseguir que su hijo se tranquilice y se relaje.

En la primera parte del libro se familiarizará con las bases de los ejercicios de relajación. Aprenderá que la postura correcta y la respiración desempeñan un papel muy importante, y que para los ejercicios tranquilizadores no siempre es necesario que los niños estén quietos, ya que éstos se relajan realizando actividades, soñando o estando en movimiento. La parte práctica del libro le anima a hacer que su hijo se relaje regularmente o de forma espontánea. El primer paso consta de unos ejercicios cortos que servirán para que usted y su hijo se familiaricen con la tranquilidad.

Se incluyen muchas sugerencias que le ayudarán a animar a su hijo a participar. Y así usted no tardará en sentirse cómoda y segura durante esa relajación en común. Así llegará al punto en que podrá dar el segundo paso y ofrecerle a su hijo unos grupos compactos de ejercicios tranquilizadores. Cada conjunto comprende un ejercicio de movimiento, uno de relajación, uno de percepción y uno tranquilizador. Así se crea un beneficioso ritmo de acción y descanso que relajará a su niño. Finalmente llegará al tercer paso, en el que usted misma establecerá los conjuntos de ejercicios en función de las necesidades de su hijo.

Podrá emplear los ejercicios sueltos o combinarlos entre sí como mejor le convenga. Así dispondrá de una amplia variedad de ejercicios tranquilizadores cortos o completos. ¡Le deseo mucha alegría y que pase unos buenos momentos junto a su hijo!

Dra. Monika Zimmermann

Los niños necesitan tranquilidad

¿Qué es realmente la tranquilidad? ¿Y por qué tienen que practicarla regularmente los niños? En el siguiente capítulo encontrará respuestas para éstas y otras preguntas.

Notará cómo actúan los ejercicios tranquilizadores en el cuerpo, la mente y el alma, y cuáles son los juegos y ejercicios con los que los niños se relajan mejor. Descubrirá que podrá mejorar la relación maternofilial paso a paso junto con su hijo y aprenderá a dominar usted misma las crecientes exigencias a que está sometida la vida, tanto la de los adultos como la de los niños.

¿Los niños pueden «practicar» la tranquilidad?

Todos conocemos esta necesidad: en un momento u otro de la vida cotidiana tenemos que hacer un paro y relajarnos para poder seguir. El problema es que muchas veces no disponemos de tiempo ni de la suficiente calma. Y usted no conseguirá esa calma forzando al niño y a usted misma a calmarse, sino a través de una predisposición interna para dejar que le invada la tranquilidad. Y esta postura se puede aprender. Los ejercicios tranquilizadores son una gran ayuda para ello: alejarán la atención del niño de lo que sucedió ayer o de lo que puede pasar mañana, lo apartarán del ordenador y de la televisión, lo aproximarán a sí mismo. El niño volverá a ser consciente de su propia percepción, de su imaginación, su creatividad y su cuerpo. Los ejercicios le ayudarán a vivir el instante de un modo plenamente consciente. Tanto si se trata de viajes imaginarios, caricias o de ejercicios de movimiento, tacto u olfato: todos ellos estimulan de un modo u otro la concentración y la atención de su hijo. Progresivamente irá aceptando la calma que ello le proporciona como una sensación agradable y revitalizadora.

Percibir conscientemente, vivir intensamente

Por qué los niños necesitan tranquilidad

Seguro que más de una vez ha observado a un niño pequeño totalmente absorto en una flor: ¡Qué atención y qué interés muestra por ella! Parece como si se sintiese absorbido por la flor y hubiese perdido toda noción del tiempo. Nada puede hacerle salir de ese estado de relajación. El niño también pone todos sus sentidos cuando hace un castillo de arena en la playa o cuando deja que la arena se escurra entre sus dedos. Está total y absolutamente concentrado en lo que hace. La expresión relajada de su rostro nos transmite una sensación de felicidad y bienestar.

Muy relajadamente en el aquí y el ahora

Pero con el tiempo, esa capacidad infantil para estar en armonía consigo mismo y con el instante en que vive va siendo desplazada por el desarrollo natural de su mente: el niño cada vez piensa con mayor intensidad. Pasa muchas horas en el colegio y ejercita principalmente su capacidad de comprensión. Aprende a prever el futuro y a aprender de sus recuerdos. Y estos

Así reacciona el organismo ante el estrés

Existen diversos factores que pueden provocar que el organismo reaccione estresándose. La secreción de adrenalina produce unas reacciones biológicas que permiten acceder a unas reservas energéticas que son las que nuestros antepasados empleaban para defenderse o para huir. Es decir, que nuestro cuerpo se prepara para rendir al máximo:

- Aumentan el pulso y la frecuencia cardíaca.
- Aumenta la tensión arterial.
- Aumenta el consumo de oxígeno.
- La respiración se acelera y se hace menos profunda.

pensamientos se deslizan entre el niño y lo que está sucediendo en ese preciso momento, lo cual hace que se desvanezca en parte su ilusión por las vivencias infantiles. Además, en la actualidad los niños están sometidos a muchas exigencias: colegio, relaciones con los amigos y los padres, televisión, ordenador, etc. Pero a su estrés también contribuyen mucho los ruidos y las prisas. Si el organismo está sometido a estas presiones durante demasiado tiempo acaba por perder su capacidad para relajarse. Además, el estrés bloquea volatilidad y la percepción integral. Al final, el niño se olvida de cómo se puede sentir un momento de libertad mental sin interrupciones externas.

Las pausas son necesarias y hermosas

Cómo actúan los ejercicios tranquilizadores

Para colaborar al desarrollo de su hijo puede ayudarle a que vuelva a disfrutar del instante en que vive; a ser posible junto con usted. El niño se dará cuenta de que no es preciso que siempre esté entretenido u ocupado en algo, y empezará a considerar la tranquilidad como algo agradable y beneficioso. Cuanto antes empiece a practicar la tranquilidad y la atención con su hijo, más normal lo considerará éste. Entonces, la tranquilidad pasará a formar parte de la vida cotidiana al igual que el almuerzo o el lavarse los dientes. Al realizar los ejercicios tranquilizadores encontrará tiempo para retozar con su hijo, para relajarse juntos y para soñar. Disfrutará de una proximidad con su hijo que hasta ahora le había estado vetada por el estrés de la vida cotidiana.

Disfrutar juntos de la paz y la proximidad

El estrecho contacto corporal de algunos de los ejercicios hará que su hijo aprenda a ser consciente de todo su cuerpo. Y el disfrutar juntos de esos instantes hará que la proximidad física vaya acompañada de una estrecha relación espiritual. Cinco minutos de esta proximidad real les proporcionarán a usted y su hijo mucho más que cinco horas de ver juntos la televisión.

Reforzar la autoestima

Haga fuerte a su hijo

Los ejercicios tranquilizadores refuerzan por sí mismos el consciente de su hijo. En los momentos críticos –como por ejemplo durante la pubertad– podrá recurrir a los ejercicios de relajación que ya conozca. A su hijo le será más fácil recobrar el equilibrio y podrá ayudarse a sí mismo cuando se encuentre tenso o desbordado. Y esto también constituye una buena base para aprender a disfrutar de su independencia psíquica. El niño aprende a confiar en sus propias convicciones y en sus propios sentimientos, con lo que dependerá menos de las opiniones de los demás.

Bueno para el cuerpo y para la mente

Durante los ejercicios tranquilizadores se relajan tanto el cuerpo como el espíritu. Y esto ayuda a combatir los síntomas del estrés (ver recuadro de la pág. 9). Los estudios médicos han mostrado que al relajarse disminuye la necesidad de oxígeno del cuerpo. Y esto hace, entre otras cosas, que la respiración sea más lenta y profunda y que disminuyan el pulso y la frecuencia cardíaca. Cuando el niño se tranquilice físicamente también podrá relajarse su mente. Y durante esta fase de calma, su mente eliminará el estrés. Por lo tanto, los ejercicios tranquilizadores le serán de gran ayuda para eliminar sus miedos y sus angustias (ver también la pág. 9). Y estando en un estado de relajación el niño no se verá tan afectado por las cargas y miedos actuales. El niño se sentirá más seguro y afrontará mucho mejor los esfuerzos de la vida cotidiana.

Disfrute usted también de las caricias de su hijo

En cuanto pierdan efectividad los viejos temores se eliminarán los elementos que le impedían pensar y percibir la realidad, y el niño gozará de una libertad interior. Así podrá volver a concentrarse mejor, le costará menos estudiar y disfrutará más haciéndolo. Cuando el niño está relajado también es más consciente de cuáles son sus necesidades. Los tonos y voces suaves afectan la superficie de su consciente. El niño presta más atención a su voz interior. Puede desplegar su creatividad y su imaginación y aprende a confiar en sus propias percepciones.

Ejercicios de tranquilización que gustan a los niños

Los ejercicios tranquilizadores que proponemos en este libro están concebidos especialmente para las necesidades de los niños de aproximadamente 4 a 12 años de edad.

Ejercicios cortos que proporcionan movimiento y proximidad

• Todos los ejercicios son de corta duración: sólo duran aproximadamente 5-10 minutos. Por lo tanto, se adaptan perfectamente a la capacidad de concentración de los niños pequeños. Cada ejercicio constituye una unidad independiente, lo cual le permitirá combinarlos entre sí como a usted mejor le parezca. Cuando usted y su hijo ya hayan adquirido una cierta experiencia con los ejercicios tranquilizadores, o su hijo ya sea lo bastante mayor, podrá ir aumentando la sucesión de ejercicios a medida que lo crea conveniente.

Con todos los sentidos

• A los niños les gusta moverse. Por lo tanto, en este libro le ofrecemos ejercicios de movimiento que a la vez relajan. Durante estos ejercicios su hijo aprenderá a ser consciente de su cuerpo y de su respiración. Se agacha y se estira, gira en círculo o corretea como un cachorro. Así elimina el estrés jugando. Y después de desfogarse seguro que le será fácil convencerlo para que se relaje y se calme.

• Los ejercicios apelan a experiencias vividas por el niño. En los ejercicios de percepción captará conscientemente los elementos tierra, fuego, agua y aire. Huele, toca y paladea la naturaleza que lo rodea. Los viajes imaginarios lo llevan a un prado o a un árbol. En los ejercicios respiratorios percibirá su propia respiración. Los elementos captados por la percepción del niño lo estimulan a conocerse sensorialmente a sí mismo y agudizan sus sentidos. El niño se abre a la diversidad de sus percepciones y aprende a confiar en ellas.

Predisposición de los padres

SUGERENCIA

Ejercicios tranquilizadores para todos los niños de 4 a 12 años

Los ejercicios tranquilizadores están especialmente concebidos para niños de parvulario y de primaria. Si su/s hijo/s son mayores puede adaptar los ejercicios para ellos: explíqueles los viajes imaginarios de un modo más realista y menos fantasioso. En los ejercicios físicos, estimule al niño a que se esfuerce un poco más. Prolongue algunos minutos las pausas de descanso entre los ejercicios de relajación. Si su hijo es menor de 4 años, aún no será capaz de concentrarse durante el suficiente rato como para poder dejarse guiar durante un buen espacio de tiempo. Por lo tanto, con un niño de esa edad será mejor que se limite a realizar ejercicios individuales. Practique con él un ejercicio de movimiento o explíquele un viaje imaginario. Al acabarlo, el niño deberá acurrucarse en los brazos de mamá o papá.

Adaptar los ejercicios a la edad del niño

• Los niños necesitan proximidad física. Al practicar los ejercicios tranquilizadores aumentan las posibilidades de tocarse, mimarse y acariciarse. En los ejercicios comunes no dude en intercambiar los papeles de vez en cuando: seguro que a su hijo también le gustará darle masajes a usted o guiarla con los ojos vendados.

Así encontrará el ejercicio ideal para usted y su niño

Para probar con su hijo los ejercicios tranquilizadores que se proponen en este libro no necesita tener previamente ninguna formación pedagógica. La principal condición, y ésta deberá aportarla usted personalmente, es la ilusión por unas experiencias relajantes, sola o con su hijo. Si le da importancia a la paz interior y al descanso de los sentidos, en esta guía encontrará muchas indicaciones prácticas para poder transmitirle estos valores a su hijo. A lo mejor también está necesitada de intensificar ese contacto con su hijo, que se ha ido perdiendo un poco con la vida cotidiana. Procure volver a tomarse mucho tiempo para estar con él. Concentre su atención y sus pensamientos en el ejercicio que está llevando a cabo. Así creará un espacio para usted y su hijo en el que vivirán unas hermosas experiencias en común.

Calmar a esas pequeñas mentes inquietas

Los juegos de relajación que se proponen en este libro están pensados para padres con uno o más hijos. Concédase tiempo para disfrutar de la tranquilidad en casa con toda la familia. A veces incluso podrá invitar a algún amigo de su hijo. O incluya algún ejercicio tranquilizador en la fiesta de cumpleaños del niño: así los niños podrán vivir experiencias en común sin tener que competir los unos con los otros.

Niños hiperactivos o con problemas de comportamiento

Los ejercicios tranquilizadores también suelen gustarles mucho a los niños con problemas motrices, de concentración o afectivos. Vaya probando hasta descubrir cómo le es más fácil atraer a su hijo, con un ejercicio de movimiento, con uno de percepción o con uno de masaje corporal. Los ejercicios tranquilizadores no pueden sustituir un tratamiento terapéutico, pero contribuyen mucho a potenciar su eficacia. ¡Calmarse siempre va bien!

Los niños inquietos o hiperactivos también pueden practicar ejercicios tranquilizadores. Generalmente a estos niños suele gustarles mucho pintar mandalas (ver pág. 91) o soñar durante un viaje imaginario. Además de esto, a los niños hiperactivos les conviene mucho el ejercicio físico. Mediante los masajes y los ejercicios de relajación de Jacobson (ver pág. 29 y sig.) los niños aprenden a conocer mejor su cuerpo. La mayoría de los niños hiperactivos respiran con demasiada rapidez y poca profundidad. Están siempre en estado de estrés. Los ejercicios respiratorios les ayudarán a respirar más lenta y profundamente, lo cual les permitirá relajarse (ver pág. 23).

Muchos caminos conducen a la tranquilidad

Elementos de un ejercicio tranquilizador

En este libro encontrará ejercicios tranquilizadores adecuados para niños durante los cuales su hijo, después de acostumbrarse un poco a estas prácticas, podrá hacer ejercicio o relajarse, percibir conscientemente y calmarse. Cada ámbito de ejercicios estimula de un modo u otro la armonía entre cuerpo y mente. Así siempre podrá volver a animar a su hijo a tranquilizarse.

Desfogar el estrés y la ira

Desfogarse y llegar a tranquilizarse: ejercicios con movimiento

El ejercicio físico puede ayudar a eliminar el estrés; por ejemplo, mediante los ejercicios de extensiones y estiramientos que nos enseña la práctica del yoga. Éstos hacen que a través de los músculos se elimine la hormona del estrés. Al mismo tiempo se coloca la columna vertebral en la posición correcta y la respiración se hace más profunda. Muchos ejercicios de movimiento

Practicar concentrado en el momento

ayudan a coordinar el movimiento con la atención. Así, cuando juegue con su hijo al juego del semáforo o realice un viaje imaginario con él, le estará proporcionando impulsos a los que deberá prestar atención, ante los cuales deberá reaccionar adecuadamente. Estos ejercicios corresponden a la necesidad de ejercicio físico de los niños y estimulan su concentración, imaginación y atención. El niño percibirá así su propio centro. Un consejo: estos ejercicios resultan mucho más agradables si se acompañan con música.

Ejercicios de relajación: aquí y ahora

Durante un ejercicio de relajación el niño deberá estar acostado sobre el suelo. Esta posición ya basta para reducir su actividad cerebral. El niño se tranquiliza interior y exteriormente. La relajación resulta más rápida y efectiva si percibe conscientemente su respiración. Con el tiempo aprenderá a controlar su ritmo respiratorio y a emplearlo para colocarse en una situación de relajación (ver también la pág. 23). Y las imágenes relajantes ayudan a crear un ambiente armonioso y calmado en el que el niño puede tranquilizarse y relajarse. En los ejercicios de escurrir la bayeta (pág. 30) o amasar (pág. 46) los niños aprenden a conocer mejor la tensión física. Al final relajan sus músculos a conciencia (relajación física después de una tensión activa; vea también la pág. 29 y sig.).

Fomentar la paz

El contacto físico agradable también elimina las tensiones. Cuando el niño está relajado, disfruta de los juegos de caricias; orienta su atención hacia dentro. En los ejercicios de relajación el niño aprende a relajarse no sólo física sino también mentalmente, y disfruta de ello. Así se eliminan los

Expulsar simplemente el estrés

IMPORTANTE

¿Jugar sin palabras?

Durante los ejercicios tranquilizadores el niño se concentra exclusivamente en una única percepción o en un único movimiento; si es posible, mientras lo hace no debe hablar, de lo contrario pasaría a concentrarse en el modo en que quiere expresarse y en las reacciones que despierta en los demás. La atención del niño se fragmentaría. Por el contrario, en los juegos sin palabras el niño percibe exclusivamente sus impulsos y sus sensaciones. Está a solas con sí mismo.

bloqueos y el niño puede recuperar aspectos de su personalidad que ya había perdido.

Ejercicios de percepción: captar con todos los sentidos

Después de la relajación física y mental el niño está abierto a juegos que hagan intervenir todos sus sentidos. En los juegos de percepción su hijo se ocupa de objetos como arena o algodón sin hablar al hacerlo (ver recuadro página anterior). Y ello hace que la atención que presta a estos materiales también pueda dirigirla hacia el exterior. Nosotros captamos la mayoría de los estímulos de nuestro entorno mediante la vista, dejando bastante de lado el tacto, el olfato, el oído y el gusto.

Con la ayuda de los ejercicios de percepción de esta guía, su hijo aprenderá a conocer mejor sus facultades sensoriales con todas sus propiedades. Los pequeños objetos de la naturaleza adquieren un significado completamente nuevo. Así se establecen las bases para la percepción y el aprendizaje integrales.

Ejercicios para calmarse: un agradable final

La relación y el afecto se intensifican al practicar juntos los ejercicios tranquilizadores

Los ejercicios para calmarse y relajarse cierran un ejercicio tranquilizador lleno de nuevas vivencias. Guían la atención del niño desde las actividades lúdicas con diversos materiales de nuevo hacia dentro, hacia su propio centro. Uno de los modos de ayudarle a conseguirlo es, por ejemplo, leyéndole un viaje imaginario. Para acabar, a la mayoría de los niños les gusta crearse su propia imagen de ese sueño. Si después de uno de estos viajes usted

Expresar los sentimientos con imágenes o palabras

comenta con su hijo sus vivencias, abrirá una nueva vía de acceso a sus pensamientos y sensaciones.

Si alguna vez no dispone de mucho tiempo, limítese a coger al niño en brazos. El niño se quedará dulcemente junto a usted recordando lo vivido. También le sentará bien realizar alguna actividad tranquila, por ejemplo con un mandala.

Guía de ejercicios en tres pasos

Un conjunto
con ejercicios
de cuatro
temas
distintos

Durante los numerosos años que llevo trabajando con niños he desarrollado un programa de ejercicios que incluye cuatro ámbitos: movimiento, relajación, percepción y tranquilidad. Este profundo método de relajación para niños ha demostrado su utilidad en innumerables ocasiones. En 1974 lo expuse por primera vez en mi libro *Träumen–Fühlen–Atmen* (Soñar–Percibir–Respirar), que iba dirigido principalmente a maestros y educadores.

La mayoría de los padres todavía no han realizado ninguna experiencia con ejercicios tranquilizadores. Cuando usted se anime a probarlo, seguramente lo primero que se preguntará es: ¿Por dónde empiezo? ¿Cuándo tendríamos que practicar? ¿Qué tengo que hacer cuando mi hijo esté sobreexcitado o estresado? Este libro le mostrará en tres pasos el modo en que puede practicar la tranquilidad con su hijo, y aprenderá qué es lo que ha de tener en cuenta durante todo el proceso. Con el tiempo irá ganando seguridad en sí misma y aprenderá a tranquilizar a su hijo con más facilidad y con más alegría.

Paso uno: Ejercicios cortos para principiantes

En el primer paso (a partir de la pág. 19) empezará por encontrar ejercicios cortos. Aprenderá a conocer y a percibir las bases de los ejercicios tranquilizadores por etapas cortas y junto con su hijo. Progresivamente, usted y su hijo aprenderán a sentirse mejor juntos si están más tranquilos de lo normal. También encontrará algunas sugerencias sobre cómo convencer a su hijo para que participe. Si estos ejercicios de iniciación le permiten descubrir su propio estilo, seguramente tanto usted como su hijo no tardarán en tener ganas de más.

Ejercicios para
aprender

Paso dos: Grupos de ejercicios completos

Sucesión de
ejercicios con
un tema
común

En el segundo paso (a partir de la pág. 43) le ofrecemos grupos completos de ejercicios. Cada grupo contiene cuatro diferentes tipos de ejercicios en los que se alternan los juegos tranquilos y los de acción: siempre un ejercicio de movimiento, uno de relajación, uno de percepción y uno para calmarse (ver recuadro de la derecha). Asimismo, siempre existe un tema común que relaciona entre sí estos cuatro ejercicios; es el hilo conductor que ayuda a su hijo a mantener su atención y concentración. Los temas se relacionan con las experiencias del niño, lo cual educa su atención para con su entorno natural.

Sincronícese con su hijo   Cada conjunto se inicia con una sintonización temática para ustedes como padres. A continuación siguen algunas sugerencias y algunos textos que deberá leer antes para preparar a su hijo en el tema del que trate el ejercicio. Los textos del ejercicio propiamente dicho están escritos en cursiva para indicar que se los puede leer a su hijo tal y como aparecen en el libro.

Paso tres: Combine los juegos usted misma

Después de ganar experiencia a lo largo de los pasos uno y dos, cuando llegue al paso tres (a partir de la pág. 69) ya estará en condiciones de combinar ejercicios usted misma para conseguir un programa personalizado. Para ello encontrará ejercicios cortos y completos de movimiento, relajación, percepción y tranquilizadores. Usted podrá optar entre tomar solamente alguno de estos ejercicios por separado o combinar los que quiera de entre ellos. Si lo desea, también podrá elegir sus ejercicios favoritos de los pasos uno y dos, y combinarlos con los del paso tres.

Ejercicios para que los combine usted misma

SUGERENCIA
¿Un ejercicio suelto o una serie completa?

• Ejercicios sueltos para entre tanto
Cada ejercicio suelto relaja al niño de un modo especial. A lo largo del día es fácil incorporar un ejercicio breve de 5 a 10 minutos de duración. Añade paz y energías a la vida cotidiana sin que haya que invertir mucho tiempo en él. Usted podrá incorporar ejercicios sueltos siempre que lo desee y cuando mejor le parezca. Su hijo aprenderá a concentrarse en sí mismo, a cerrar los ojos y a desconectarse.
• Grupos de ejercicios para una relajación prolongada
Un grupo de ejercicios completo contiene un ejercicio de cada uno de los siguientes tipos: movimiento (acción), relajación (calma), percepción (acción) y tranquilidad (calma). Para realizar todo este conjunto necesitará aproximadamente media hora de tiempo. La alternancia de tensión y relajación le proporciona al niño nuevas energías para prestar atención a lo que tiene ante sí. Así el interés infantil se fija sin llegar a producir agotamiento. Con un grupo de ejercicios, el niño también colaborará durante más tiempo. Alcanza un grado de relajación más profundo que con un unico ejercicio tranquilizador.

Paso 1: Ejercicios cortos para principiantes

¿Cómo puedo hacer que mi hijo sienta curiosidad por los ejercicios tranquilizadores? ¿Qué ejercicios son los más adecuados cuando el niño está inquieto y sobreexcitado? ¿Y qué juegos y ejercicios le serán útiles cuando esté cansado y distendido? En este capítulo encontrará los primeros ejercicios para practicar. Aprenderá cuáles son las características que ha de reunir el lugar en el que usted y su hijo disfrutarán de unos momentos de paz y de tranquilidad, además de cómo pueden sintonizarse y prepararse para vivir una maravillosa experiencia en común.

Postura y respiración: Así practicarás relajadamente

Para que usted y su hijo puedan relajarse perfectamente durante los ejercicios tranquilizadores en común, es muy importante que mantenga una postura adecuada y que respire profundamente.

Postura idónea

Cuando el niño está acostado de espaldas puede percibir y soñar especialmente bien

Durante los ejercicios el niño deberá permanecer en el suelo. Al relajarse es probable que se acueste de espaldas, a lo mejor sueña un viaje imaginario acostado boca abajo o se sienta sobre el suelo mientras percibe o toca algún objeto. El contacto del niño con el suelo es importante. Así percibe la tierra que hay bajo él, se deja llevar, se en-tierra. Su atención se desplaza involuntariamente de la cabeza al cuerpo, de pensar a sentir. Además, al estar en el suelo, el niño suele adoptar tanto sentado como acostado una postura favorable a la columna vertebral. Los niños pequeños suelen protestar bastante si se les obliga a mantener una determinada postura. Aquí pueden acurrucarse junto a su mamá e incluso enrollarse como un gato. Si el niño ya es lo suficientemente mayor, indíquele la posición adecuada para cada ejercicio.

La postura lateral es cómoda y estable

nada para estabilizar el cuerpo (ver foto de la pág. 20, derecha).

Posturas estando sentado

La postura más conocida es la postura del sastre, con las piernas cruzadas por delante (foto de abajo). Pero a la larga esta postura resulta muy incómoda. La columna se curva y dificulta la respiración.

Algunas posiciones más cómodas

Al sentarse adoptando la postura del sastre sobre un cojín o sobre una manta enrollada, las rodillas quedan más bajas que la pelvis. Y esto hace que la columna se coloque automáticamente en posición erguida. Los músculos de la espalda se tensan un poco, pero sin llegar a producir calambres ni entumecimiento. Las rodillas se apoyan sobre el suelo y estabilizan la postura. Las piernas se colocan delante o se apoya el pie delantero sobre el muslo posterior (ver foto de la pág. 22, izquierda). Con esta postura, la respiración fluye libremente hacia el vientre. Los pulmones se despliegan. La interacción de la columna erguida y la respiración profunda permite permanecer

La postura del sastre solamente es apropiada para ejercicios de relajación de corta duración

La postura adecuada para el cuerpo

Pruebe las posturas que le indicamos para sentarse y estirarse. Hágalo con calma y antes de empezar los ejercicios tranquilizadores. Note las diferencias respecto a las posturas que usted quizás ya conocía anteriormente. Procure encontrar una postura en la que la columna pueda mantenerse recta sin esfuerzo, y en la que su respiración fluya hacia el vientre sin obstáculos. Luego podrá transmitirle estas experiencias el niño durante los ejercicios tranquilizadores.

Posturas estando acostado

Para los ejercicios de relajación estando acostado pueden adoptarse dos posturas que resultan favorables para la columna vertebral: la postura relajada de espaldas y la postura lateral estable. Cuando el niño esté acostado de espaldas le bastará fijarse en las puntas de sus pies para saber si está realmente relajado: deben caer ligeramente hacia el lado externo. Las piernas estarán extendidas y bastante juntas, los brazos apoyados en el suelo y cerca del cuerpo (ver foto de la pág. 20, izquierda). En la postura lateral estable, el niño se apoya sobre el vientre. Su cabeza descansa lateralmente sobre el suelo con una mano bajo la mejilla. La pierna superior se mantiene un poco flexio-

Así es como mejor se relaja el niño

más tiempo en esta postura sin que ello produzca cansancio.

La pelvis también se mantiene en esta misma postura si el niño se sienta apoyándose sobre los talones y la cara interna de los muslos (foto inferior de la página de la derecha). Ésta es una de las posiciones favoritas de los niños pequeños, ya que tienen los tendones y ligamentos de los pies muy elásticos. Extienden los dedos de los pies hacia atrás de modo que el empeine de los pies se apoye sobre el suelo.

Muchos niños mayores, y también los adultos, prefieren sentarse adoptando la postura del jinete (foto de arriba a la derecha); se parece bastante a la de sentarse sobre los talones, pero con la diferencia de que el peso del cuerpo se apoya en

parte sobre un cojín o sobre una manta enrollada. Los muslos quedan a uno y otro lado de la manta como si el niño estuviese montado a caballo.

Sentarse sobre una silla

Si a usted o a su hijo les resulta difícil o molesto sentarse sobre el suelo, pruébenlo sobre una silla. Deslícese sobre el asiento hasta situarse sobre el borde del mismo. Apoye los pies sobre el suelo y mantenga las rodillas notablemente por debajo de la pelvis. Así la espalda se mantendrá recta (foto de la pág. 23, arriba). Observe también la postura de su hijo cuando esté sentado ante su escritorio: ¿Mantiene la espalda erguida? En el caso de que no, póngale un pequeño cojín sobre la silla

los adultos lo hacen de 12 a 16 veces. El número de inspiraciones por minuto es lo que conocemos como frecuencia respiratoria.

Respiración en caso de estrés

Cuando el cuerpo está sometido a un esfuerzo necesita incrementar rápidamente el aporte de oxígeno. Por esto respiramos más deprisa y con mayor profundidad. El estrés mental también nos hace respirar más deprisa. Por su ritmo respiratorio podrá reconocer fácilmente si usted está tensa o si disfruta de una relajación interior. Después de realizar un esfuerzo físico, el cuerpo regresa automáticamente a su ritmo respiratorio normal ya que vuelve a necesitar menos oxígeno. Sin embargo, cuando se realiza un esfuerzo mental prolongado se puede mantener un ritmo respiratorio elevado: la respiración se vuelve rápida y superficial. Si se vive en un estado de estrés mental crónico, al final se olvida uno de respirar profundamente. La mayoría de las personas adultas ya no saben cuál es la sensación que se siente cuando se practica la llamada respiración abdominal y se deja que el aire fluya profundamente en el vientre.

A los pequeños les resulta muy fácil sentarse sobre los tobillos

Asegúrese de que su hijo siempre se siente bien en la vida cotidiana

para corregir la posición de la pelvis (existen cojines en forma de cuña especiales para niños).

La respiración correcta

Respirar es un proceso vital reflejo e involuntario. Al inspirar, el organismo recibe el aporte de oxígeno que necesita. Al espirar se libera del dióxido de carbono y otros detritos metabólicos. Para percibir bien los movimientos respiratorios no tiene más que colocar sus manos sobre el pecho y el abdomen.

En estado de relajación física y psíquica, los niños respiran de 20 a 25 veces por minuto mientras que

Respirar conscientemente

El respirar es un acto reflejo e involuntario. Pero para mejorar la respiración y conseguir que así influya positivamente en el cuerpo y en la mente es necesario actuar voluntariamente sobre la respiración: el estrés acelera la respiración, pero una respiración lenta ayuda a calmar el sistema nervioso. Relaja el cuerpo y la mente. Por lo tanto, si usted respira lenta y profundamente con su cavidad abdominal esto le ayudará a tranquilizarse.

Cuando la tensión dura mucho, la respiración se hace rápida y poco profunda

Así aprenden los niños a respirar correctamente

Empleando los juegos y ejercicios adecuados, su hijo también será consciente de su respiración. Percibirá la diferencia entre inspiraciones superficiales y profundas y aprenderá a emplear la respiración pausada para combatir sus estados de angustia o de excitación.

En cuanto el niño se fije en su respiración, concentrará momentáneamente su atención en ella de modo inconsciente. Sus pensamientos sobre el ayer y el mañana pasarán a un segundo plano y dará prioridad a lo que le suceda en ese momento. Por este motivo, generalmente empiezo los viajes imaginarios con estas palabras:

«Tu respiración fluye lentamente hacia dentro y hacia fuera... dentro y fuera. El vientre sube y baja solo como las olas del mar... arriba y abajo...»

Texto para leer como introducción

Al practicar los ejercicios respiratorios tales como el de las plumas (ver pág. 33), el niño prolonga lúdicamente la fase de espiración y con ello alarga involuntariamente su ritmo respiratorio. El niño se calma.

SUGERENCIA

¿Fatiga, estrés, tensiones? ¡Expúlselas con la respiración!

▶ ¿Se encuentra cansada y distendida? Disfrute de algunas inspiraciones profundas, a ser posible con la ventana abierta de par en par. Así le proporcionará a su organismo una ración extra de oxígeno. Inspire profundamente en su abdomen. Así el vientre se hinchará visiblemente hacia fuera. Después de algunas inspiraciones seguro que se sentirá mucho mejor, más despierta y más viva.

▶ La respiración profunda y un poco rápida ayuda a refrescar tanto el cuerpo como la mente.

▶ Por el contrario, si respira conscientemente más lento de lo normal conseguirá que el cuerpo y la mente se relajen.

Una buena preparación para descubrir la tranquilidad

Antes de que empiece a probar los primeros ejercicios tranquilizadores queremos darle algunos consejos para que usted y su hijo puedan prepararse bien tanto externa como internamente.

Practicar: ¿cuándo, dónde, cómo?

Acondicione el lugar para realizar los ejercicios de modo que resulte lo más cómodo y acogedor posible

Elija para su tiempo de paz el momento que más le apetezca. Muchos niños se muestran más predispuestos a realizar los ejercicios tranquilizadores en los momentos en que necesitan descansar. Por lo tanto, fíjese bien en el ciclo diario del niño. A los niños les suele gustar que les lean un cuento por la noche antes de irse a dormir: aproveche la

SUGERENCIA

¿Con qué frecuencia hay que practicar?

En cuanto usted y su hijo hayan ido acumulando sus primeras experiencias con los ejercicios tranquilizadores deberán seguir practicándolos regularmente. Da igual la hora del día en que decida practicar: lo importante es que incluya los ejercicios tranquilizadores de forma fija en su rutina cotidiana. Así su hijo se acostumbrará mejor a ellos y cada vez le apetecerá más disfrutar de esa calma que tan beneficiosa es para él.

ocasión para leerle un viaje imaginario. Así el niño se dormirá relajado. Otro día, explíquele el mismo viaje imaginario a otra hora del día, por ejemplo después de comer.

Finalmente, el niño se creará la mejor imagen imaginaria. El domingo también es un día ideal para desconectarse de la vida cotidiana.

Conseguir rituales muy personalizados

¿Un niño, o más?

Si tiene varios niños, pruebe a ver si a todos les hace ilusión practicar juntos los ejercicios tranquilizadores. Muchos ejercicios de per-

cepción resultan más divertidos si se practican en grupo, y eso hace que los niños se sientan más motivados por ellos. ¡Incluso puede invitar a los amigos o a los hijos de sus vecinos para que participen! Si uno de los niños es menor de 4 años, reconfórtelo durante los ejercicios proporcionándole un mayor contacto físico. A lo mejor los niños mayores no se sienten a gusto con los más pequeños. En ese caso, hágales practicar mientras los pequeños estén durmiendo o en la guardería. Muchas parejas sólo tienen un hijo, y las que tienen varios a lo mejor prefieren empezar por probar los ejercicios tranquilizadores solamente con uno de ellos. Por este motivo, a lo largo de este libro hablaremos solamente de un niño.

Tener en cuenta la edad de los niños

Adecuar el lugar para relajarse

Despeje una zona del suelo y prepáresela para sus tiempos de paz, quizás en un rincón de la sala de estar. Procure conseguir un ambiente relajante que incite al reposo: una manta gruesa y algunos cojines como isla de la relajación en un rincón decorado a su gusto: añada una lámpara, telas de colores, flores, o incluso una lamparilla de aceites aromáticos. En la pág. 93 encontrará una tabla con algunas de las esencias más apropiadas.

Buscar un lugar para retozar

Ropa cómoda

Póngase ropa muy cómoda: así gozará de plena libertad de movimientos y podrá respirar correctamente. Lo ideal es que se ponga un chándal. Póngase también unos calcetines calientes o practique descalza, así sentirá perfectamente sus pies y se relajará.

Relax para los dedos de los pies

Aún mejor con música

Puede emplear la música como introducción al ejercicio, como acompañamiento o como final. Se prestan especialmente las composiciones suaves de música clásica y la música especial para relajación basada en la música barroca clásica. A muchos niños les gustan los sonidos de la naturaleza tales como el canto de los pájaros o el ruido del oleaje.

SUGERENCIA

A veces incluso con prisas...

Además de los ejercicios tranquilizadores habituales, no dude en incluir de vez en cuando ejercicios sueltos en su rutina cotidiana. Así los niños aprenderán que estas pausas de relajación también sirven para compensar las prisas de cada día. Y para estos juegos tranquilizadores espontáneos tampoco es necesario que haga muchos preparativos: aflójese el cinturón, quítese los zapatos y adelante.

Accesorios

Prepare con antelación todo el material necesario; por ejemplo, papel para dibujar y lápices. Busque también una música que le resulte agradable. Deje a su alcance todo aquello que pueda necesitar y dispóngase a disfrutar de los ejercicios.

Liberación interior

Tómese el tiempo necesario para usted y su hijo. Disfrute de su tiempo de tranquilidad sin prisas, sin compromisos y sin interrupciones. A lo mejor la primera vez se siente tensa e insegura. Acepte estos sentimientos: disfrutar de la tranquilidad y transmitírsela al niño son cosas que se pueden aprender. Cuanto más practique, más segura se sentirá. Inspire y espire profundamente unas cuantas veces. Acentúe especialmente la espiración. Eso ayuda a relajar el cuerpo y el alma a la vez que elimina el estrés (ver también recuadro de la pág. 24). Cierre los ojos, así su mente también se relajará. Haga algunas extensiones y estiramientos. Ahora ya puede empezar.

Librarse del estrés a corto plazo

Un ritual inicial

Establezca un ritual que al niño le sirva como prólogo para los ejercicios. Puede ser simplemente una frase, una melodía musical o un contacto físico sin palabras. Lo importante es que llame la atención del niño hacia lo que va a hacer.

Despertar la curiosidad infantil

Marque el inicio de la sesión de ejercicios con el sonido de un triángulo, o con la música de unas campanillas. Para los niños un poco más mayores será suficiente con que se siente a su lado en silencio. Respire lenta y profundamente unas cuantas veces. El niño la imitará. Pónganse juntos y empiecen a tranquilizarse internamente.

Los niños son curiosos por naturaleza.

Despertar la atención y la curiosidad por los descubrimientos

> **IMPORTANTE**
> ### Acordar las reglas del juego
>
> Para que el niño pueda concentrarse en sí mismo durante la realización del ejercicio necesita silencio. Explíqueselo claramente antes de realizar el primer ejercicio. Convénzale de que durante los juegos deberán estar callados. Más adelante podrá apelar siempre a estas reglas convenidas de antemano.

En cuanto cambie la ambientación del lugar en que van a efectuar las prácticas, el niño seguro que querrá saber qué es lo que va a pasar ahí. Acudirá por su cuenta y preguntará. Para mantener viva su curiosidad oculte algún objeto que vaya a intervenir en el ejercicio colocándolo bajo un paño, en un recipiente o en una bolsita de tela. El niño tendrá muchas ganas de desvelar el misterio. Déjele que pase la mano por encima del objeto oculto, que puede ser una concha, una piña o un trozo de algodón. Su curiosidad se despertará automáticamente. Al niño también puede resultarle divertido que lo lleve hasta el lugar con los ojos vendados. A lo mejor puede pedirle que intente adivinar qué es todo eso y qué cree que van a hacer allí.

A los niños, eso de ejercicios tranquilizadores puede sonarles a algo aburrido. Busque alguna denominación que pueda resultar más atractiva, quizás juegos en la isla de la calma.

Interesante: pequeñeces ocultas

Así preparará al niño

«Ahora te llevo al rincón de los mimos. Es nuestra isla de la calma. Aquí podemos probar juegos nuevos, soñar, vivir aventuras imaginarias o simplemente descansar. Cada vez será todo un poco distinto.

Nuestros juegos silenciosos son algo muy especial, ya que hablaremos muy poco. Así podremos percibir, oír y soñar mucho mejor. Así que, por favor: ciérrate los labios con cremallera (haga con la mano el gesto de cerrarse la boca con una cremallera). *A lo mejor yo tengo que hablar alguna vez para leerte algo o para explicarte algún detalle, pero tú estate callado.»*

Texto de introducción a los primeros ejercicios tranquilizadores

---

SUGERENCIA

Palabras que llevan a la calma

Explíquele al niño que los ejercicios tranquilizadores que van a realizar juntos son algo nuevo, divertido, interesante y que puede ser muy distinto de los juegos que conocía hasta ahora.

Así es como puede empezar con los niños pequeños:

«Hoy tengo ganas de que vivamos juntos algo bonito. Tenemos tiempo para jugar y retozar. Ven aquí, te voy a enseñar cuál es tu sitio. Es muy cómodo.» O bien:

«He encontrado una cosa muy bonita en el bosque (parque, jardín, campo) y te la he traído. Pero todavía es un secreto. ¿Quieres probar a tocarla para ver si adivinas lo que pueda ser?»

Para empezar con niños un poco más mayores:

«Hoy quiero que probemos algo que nos va a ir muy bien a los dos. Ven conmigo, he preparado un sitio para que pasemos un rato juntos. Luego ya me dirás si te ha gustado o no.»

Primeros ejercicios: Acceder a la tranquilidad

Un ejercicio preparatorio

Los siguientes ejercicios tienen una duración de 5 a 10 minutos, y con ellos aprenderá a relajarse con su hijo. Los ejercicios de relajación y los viajes imaginarios ofrecen la oportunidad de calmarse. Los ejercicios de movimiento y de percepción permiten que su hijo se muestre activo.

Liberarse para la calma

En este ejercicio, usted y su hijo apartan de lado los pensamientos molestos mediante gestos. Se liberan internamente para poder disfrutar de los ejercicios tranquilizadores con todos los sentidos. A los niños pequeños les suele gustar mucho esta forma tan teatral de tratar unas ideas tan poco materiales.

Si al niño le ha gustado el ejercicio, anímelo a realizar otros ejercicios tranquilizadores. Este ejercicio también resulta muy útil para evitar que el niño tenga pesadillas por la noche.

Posición de partida

Usted y su hijo están cómodamente sentados o acostados (ver posturas de la pág. 20 y sig.) en su isla de la calma. Usted habla y el niño la escucha.

Liberarse jugando

«Cierra los ojos y piensa si hoy ha pasado algo que te haya puesto triste o te haya hecho enfadar. Ahora coge estos pensamientos con tus dos manos y arráncatelos de la cabeza —estire usted también teatralmente como si extrajese unos largos hilos de su cabeza—. *Cuando ya lo hayas sacado todo, haz una bola con ello y tírala por la ventana* (usted se levanta y arroja la bola por la ventana). *Bueno, ahora ya podemos empezar con nuestros juegos tranquilos.»*

Así se puede preparar el ejercicio

▶ Verter los pensamientos sobre el suelo y barrerlos con una escoba hacia la puerta.

▶ Verter los pensamientos molestos o desagradables en el centro, hacer una bola con todos ellos y hacerla rodar hasta que salga de la habitación.

▶ Poner todo aquello que sea molesto sobre la palma de la mano y soplar con fuerza para que se esfume.

Texto de introducción para el ejercicio de ser libre

Relajación consciente de los músculos

Ejercicio para relajarse

En este ejercicio el niño contrae conscientemente una parte del cuerpo cada vez. Y luego relaja esa zona. En este ejercicio de relajación según el método de Jacobson el niño aprende a reconocer cuándo una parte del cuerpo está contraída y cuándo está relajada. Al cabo de algún tiempo el niño será capaz de notar las contracciones musculares que pueda sufrir durante la vida cotidiana y sabrá cómo relajar sus músculos en cada caso.

Posición de partida

Su hijo está acostado de espaldas (ver pág. 20) en la isla de la calma. Usted le habla y él escucha.

Así aprende su hijo a relajarse

Texto de introducción para la relajación muscular activa

«Acuéstate de espaldas. Nota el suelo debajo de ti, nota la manta cálida y suave sobre la que estás echado. Cierra los ojos. Así te será más fácil imaginarte lo que te voy a explicar: imagínate que en la mano derecha tienes una bayeta mojada. Cierra el puño con fuerza y aprieta bien la bayeta. Quieres escurrirla con fuerza para sacarle toda el agua. Nota la fuerza en tu mano. Ahora aflójala de nuevo: abre lentamente la mano a la vez que espiras el aire. Relaja los de-

dos. A lo mejor notas un cosquilleo en la mano, y también es posible que la tengas muy caliente. Eso es señal de que está bien y que se ha relajado del todo. Para que aprendas a reconocer mejor esta sensación, vamos a volver a repetir este ejercicio. Ahora imagínate que sujetas la bayeta con la mano izquierda y apriétala con fuerza (repite todo el desarrollo con la mano izquierda). Ahora pon la baye-

Escurrir una bayeta

ta entre tus rodillas y escurre el agua apretando con tus piernas tanto como puedas. ¡Nota tu fuerza! Suéltala la próxima vez que espires (repetición). Ahora le toca el turno al pie derecho: sujeta la bayeta con los dedos del pie y aguántala con fuerza. Nota la fuerza de tu pie… y luego suéltala. A lo mejor notas un cosquilleo en el pie (repetir dos veces en cada lado). Para acabar, mantén todavía los ojos cerrados y disfruta notando cómo tu cuerpo descansa acostado sin tener que hacer nada. Puedes empezar a levantarte.»

Cuando considere que su niño ya se ha espabilado lo suficiente, elimine ese estado de profunda relajación. Ahora ya puede seguir jugando o disfrutar de sus juegos habituales.

Recuperarse de la relajación

«Ahora desperézate y estira todo tu cuerpo, como cuando te levantas por la mañana. Inspira y espira profundamente un par de veces… y ya

Regresar relajadamente a la vida cotidiana

estará fresco y despierto para tu próximo juego (o para hacer los deberes, o para hacer deporte, o para ir a comer…).»

Esto es importante

▶ Para ayudar a los niños pequeños a que noten su respiración, dígales que expulsen el aire de forma sonora.

▶ Puede ayudar al niño a relajar su mano cogiéndole el puño y abriéndoselo a la vez que se lo acaricia con cariño.

▶ Para los niños más pequeños, abrevie el ejercicio: hágales tensar y relajar solamente dos o tres zonas de su cuerpo.

▶ Cuanto mayor sea el niño, mayor será el número de zonas que podrá tensar y relajar.

Ejercicios que combinan bien con éste:

▶ Música con vasos (pág. 37)
▶ Isla de ensueño (pág. 37 y sig.)

Cómo encontrar la postura y la respiración

Ejercicio para relajarse

Para realizar los ejercicios es muy importante mantener una postura erguida. Así el niño aprenderá a cuidar la columna y a respirar correctamente. Enséñele cuáles son las diferencias entre la postura del sastre y la postura estable (ver pág. 21). Dado que el niño tiene los músculos y los ligamentos muy elásticos, le será más fácil adoptar esa postura que a usted. Seguramente se alegrará de ver que puede hacer algo con más facilidad que usted.

Por otra parte, en los ejercicios tranquilizadores también desempeña un papel muy importante la respiración (ver también la pág. 23 y siguiente). Por lo tanto, tendrá que encontrar un ejercicio con el que el niño pueda llegar a conocer su ritmo respiratorio normal. Con el tiempo el niño aprenderá a controlar su respiración a voluntad y así podrá relajar su cuerpo y su mente.

Posición de partida

El niño se sienta tranquilamente en la isla de la calma. Usted le explica:

Encontrar la postura idónea

«Hoy te quiero enseñar una forma cómoda de sentarte para cuando practiquemos nuestros ejercicios tranquilizadores. Siéntate en el suelo y cruza las piernas (hágalo usted también). Esto es la posición del sastre. ¿Notas el suelo debajo de ti? Ahora quédate un rato en esta posición. ¿Te sientes cómodo así? Mira, yo no lo aguanto mucho tiempo. Me doblo sobre mí misma. Mi espalda se curva por sí sola. Ya no puedo respirar bien. Ahora te enseñaré un truco

El texto de introducción ayuda a conseguir la postura adecuada *para poder sentarnos bien sin esfuerzo. Coge la pierna derecha y apoya el pie delante o encima de la pierna izquierda. Así la posición será más estable. Si quieres, intenta ponerte un cojín debajo del culito para ver si así te encuentras más cómodo.»*

Si a su hijo le gusta probar cosas nuevas, déjele intentar las posiciones de apoyado sobre los talones y de cabalgar (ver pág. 22). Deje que sea él quien elija la posición en la que se encuentre más cómodo.

Aprender a conocer la columna vertebral

Texto de introducción para percibir la columna vertebral

«Prueba a ver si tienes la columna recta. También puedes palpar la mía. ¿Notas todos esos bultitos? Eso son las vértebras; son como los dientes de una cremallera. Ahora voy a pasar los dedos por tu columna y voy a cerrar tu cremallera… y a abrirla… y a cerrarla otra vez.»

Así encontrará el niño su respiración

Texto de introducción para percibir la respiración

«Ahora cierra los ojos. Así podrás percibirte mejor a ti mismo. Colócate las manos sobre el vientre. ¿Notas cómo se hincha y se deshincha? Es como un globo en el que el aire entra y luego sale. ¡Y eres tú el que hincha ese globo del vientre! Al inspirar llenas tus pulmones de aire y empujas el globo hacia fuera. Al espirar vuelves a sacar el aire y el vientre baja. Y estos movimientos de la respiración

también puedes notarlos si te apoyas las manos lateralmente sobre las costillas. Al inspirar se dilata el tórax, y al espirar vuelve a hacerse pequeño… ¡Mira a ver dónde notas los movimientos respiratorios en mi cuerpo! Para acabar nos sentaremos espalda contra espalda y con nuestros traseros tocándose. Dime lo que notas con tu espalda. ¿Son mis movimientos respiratorios o los tuyos? Ahora permaneceremos sentados durante un rato con los ojos cerrados y disfrutaremos de nuestra respiración. Nos calmaremos mutuamente hasta que los dos nos sintamos reforzados.»

Al niño le será más fácil notar su respiración si usted actúa como ejemplo

Ejercicios que combinan bien con éste

▶ Juegos respiratorios (ver más abajo)

▶ El jabón mágico (ver pág. 34)

Juegos respiratorios

Ejercicio de percepción

Con este juego el niño percibirá su respiración muy intensamente. Aprenderá cuáles son las características de su respiración y a controlarlas a voluntad: la respiración puede ser muy sutil o muy intensa. Puede ser suave como el batir de alas de una mariposa o hacer volar las cosas como un chorro de aire. Tómese unos 10 minutos para jugar y disfrutar.

Esto es lo que necesitará:

Una pluma pequeña, un trozo de algodón o algunos recortes de periódico.

Posición de partida

Su niño está cómodamente sentado en la isla de la calma. Usted le habla y él escucha.

Así ha de acompañar los juegos respiratorios

«Nos sentaremos de cara. En el ejercicio de antes ya has empezado a ver cómo es tu respiración. Ahora jugaremos con ella.»

Respiración de mariposa

Texto de introducción a los juegos respiratorios

«Te voy a soplar muy flojo en la cara. Cierra los ojos e imagina que una mariposa preciosa te está rozando la cara. (Sóplele unas veces con suavidad y otras con más

fuerza.) Dime cuándo todavía notas a la mariposa. Ahora vamos a cambiar los papeles: tú soplas y yo lo noto. Apartémonos un poco y veamos si la mariposa también supera unas distancias más largas.»

Respiración de pluma

«Te pongo una pluma (o un poco de algodón, o un trocito de papel) en la mano. ¡Sopla hacia mí con suavidad y verás lo bien que vuela! Seguiremos soplando para hacerla ir de un lado a otro.»

Así podrían seguir jugando

▶ La respiración es como una fuente, y la pluma baila sobre su chorro.

▶ El niño se acuesta boca abajo y sigue empujando la pluma a base de soplar.

Así finalizarán el ejercicio respiratorio

En cuanto el niño empiece a estar cansado de soplar o se le vaya haciendo aburrido seguir, finalice la actividad con las siguientes palabras:

«Cierra los ojos. Ponte una mano sobre el vientre y la otra sobre el pecho. Nota a ver si tu respiración es más fuerte que al empezar. ¿El corazón te va más deprisa? Les daremos

Ejercicio para acabar

un tiempo al corazón y a la respira-ción para que se tranquilicen.»

Lavarse con el jabón mágico

Ejercicio de movimiento

El asunto del jabón mágico les gusta hasta a los más pequeños: imamá limpia todos los enfados!

Usted y su hijo hacen ver que se frotan todo el cuerpo con un jabón mágico. Así el cuerpo recibe un masaje que lo relaja. Trate algunas zonas durante más tiempo. Para acabar, aclare con una agradable ducha para que su hijo se libere de todo aquello que le resulta molesto. Empiece por hacerlo usted misma para animarlo a jugar. Enjabónense mutuamente las espaldas y luego séquense con una toalla de baño.

SUGERENCIA

Juego y masaje

Aproveche la ocasión del juego del jabón mágico para darle un buen masaje en seco a su hijo. A los niños pequeños les gustan mucho los masajes y disfrutan de ese intenso contacto.

Posición de partida
El niño está ante usted.

Explíquele esto a su hijo

Texto de introducción al masaje con jabón mágico

«Tenemos en la mano un frasco con un jabón mágico. Este jabón tiene poderes mágicos porque nos limpia de todo nuestro cansancio (preocupaciones, estrés, tensiones). Empezaremos por hacer mucha espuma con las manos. ¿De qué color es tu espuma? Primero nos enjabonamos las manos, luego todo el brazo izquierdo hasta el hombro (masajear el brazo tanto por la cara externa como por la interna describiendo un movimiento circular). Ahora el brazo derecho…, los hombros…, la nuca…, ahora la cabeza y el cabello…, la cara…, la espalda: ¿Me puedes ayudar? No llego a toda mi espalda. ¿Quieres que te enjabone tu espalda? ¿Qué jabón vamos a emplear? ¿El mío o el tuyo?

Ahora vamos a enjabonar la parte posterior de nuestras piernas desde arriba hacia abajo… sin olvidarnos de los pies. Ahora subimos por la parte delantera de las piernas…, lavamos la barriguita y el pecho… y nos aclaramos bajo la ducha para sacarnos la espuma: abrimos el grifo, dirigimos el chorro primero hacia el cabello y luego lo pasamos por

Acariciar, dar masaje, jugar a secarse

todo el cuerpo hasta llegar a los pies. Ahora cerramos el grifo. Cogemos una toalla de baño grande y suave y nos frotamos bien para secarnos de pies a cabeza. Sacudimos la toalla, la colgamos y nos sentimos perfectamente limpios y frescos.»

Ejercicios que combinan bien con éste

▶ Juegos respiratorios (pág. 33)
▶ Viaje a una isla imaginaria (página 37)

Esto es divertido: unir fuerzas para serrar un tronco imaginario

Trocear madera con la sierra y el hacha

Los ejercicios de cortar leña y trocear madera proceden del yoga y pretenden armonizar el cuerpo con la mente y el alma. Esta variante para niños les divierte mucho y le sienta muy bien a su cuerpo.

Ejercicio de movimiento

Esto es lo que explicará usted durante el ejercicio de cortar leña

«Hoy vamos a cortar leña para poder encender la chimenea. Empezaremos por sentarnos de frente. Estiremos las piernas hacia delante hasta que las plantas de tus pies toquen las de los míos. Démonos las manos. Ahora nos imaginaremos lo

Texto de introducción al ejercicio de cortar el tronco

siguiente: entre nosotros hay un tronco y nuestras manos son una sierra. Ahora empezamos a serrar el tronco: yo tiro suavemente de tus manos hacia mí. Así tu cuerpo se estira a la vez que extiendes los brazos y las piernas. Levántate lentamente y tira de mí hasta volver a levantarte. Ahora vuelvo a tirar yo. Así iremos alternando de un lado a otro hasta que el tronco esté reducido a pedazos.»

Variante: El juego del abanico

Si al niño le gusta este ejercicio, pruebe también el del abanico.

Texto de introducción para el juego del abanico

«Ahora vamos a serrar un tronco aún mas grueso, por lo que emplearemos una sierra mayor. Nos sentamos de frente con las piernas abiertas. Nuestros pies también se tocan. Nos cogemos de las manos. Inclínate hacia atrás manteniendo la espalda recta. Yo acompaño tu movimiento y me estiro hacia delante. Prueba a ver hasta dónde puedes llegar hacia atrás. Para levantarte, seré yo quién se deje caer hacia atrás. Seguiremos haciéndolo hasta que hayamos serrado el tronco por completo.»

Para trocear leña explicará lo siguiente

Texto de introducción al ejercicio de cortar leña

«Ya tenemos bastante leña, ahora lo que hay que hacer es trocearla. Ponte de pie y abre las piernas. Ahora inclina el tronco hacia delante manteniendo las piernas bien rectas. Imagínate que delante de ti tienes un leño

de pie sobre el suelo. Coges con ambas manos un hacha muy pesada, la levantas lentamente con los brazos extendidos hasta colocarla por encima de la cabeza. Estira todo el cuerpo para coger impulso. Al expulsar el aire bajas con fuerza el hacha a la vez que gritas: ¡ssssa! ¡El leño ya se ha partido! Los brazos pasan entre las piernas.» (Repetir el ejercicio seis veces.)

Al cortar leña, el niño expulsa sus miedos, iras y tensiones

Para esto sirve este ejercicio

Este ejercicio ayuda a eliminar las tensiones mentales. Si usted y

Éste es el
efecto de
cortar leña

su hijo gritan «¡ssssa!» al expulsar el aire, reforzarán aún más este efecto. El ejercicio también ayuda a eliminar el estrés físicamente (ver pág.13). Acostúmbrese a empezar de vez en cuando su tiempo de calma cortando leña.

Ejercicios que combinan bien con éste

▶ Juegos respiratorios (pág. 33)

▶ Viaje a una isla imaginaria (ver más abajo)

Música con vasos

Este ejercicio estimula la atención: su hijo solamente podrá oír y diferenciar los tonos más suaves si está completamente en silencio.

Esto es lo que va a necesitar:

● De tres a seis copas de vino

● Un poco de agua para las copas

● Un lápiz

Esto es lo que explicará para tocar música con vasos

Texto de
introducción a
la música con
vasos

«Hoy me gustaría tocar música contigo de un modo muy especial. Haremos sonar las copas tocándolas con un lápiz. Te enseñaré cómo lo hago: ¿Te gusta este tono? ¿Quieres probarlo de hacerlo tú también? ¿Suenan todas las copas igual o notas diferencias? ¿De qué otras maneras podemos hacer que suenen

las copas? (Golpeándolas suavemente entre sí, empleando una varilla de madera o una cuchara, pasando el dedo por el borde de la copa…)»

Así pueden seguir tocando

▶ Usted y su hijo intentan obtener el mismo tono.

▶ Prueben de obtener diferentes tonos llenando las copas hasta alturas distintas.

▶ Intenten tocar a medias la melodía de alguna canción infantil.

Tocar melodías
con unos
instrumentos
poco
convencionales

Ejercicios que combinan bien con éste

▶ El jabón mágico (pág. 34)

▶ Cortar leña (pág. 35)

Viaje a la isla imaginaria

Los viajes imaginarios ayudan al niño a relajarse, calmarse y dejarse ir. Puede dar rienda suelta a su imaginación y desconectarse de la vida cotidiana. Todo viaje imaginario consta de tres fases: la aproximación, el sueño propiamente dicho y la salida (ver recuadro de la pág. 38).

Ejercicio para
calmarse

IMPORTANTE

Viajes imaginarios a un mundo de fantasía

● Los viajes imaginarios o ensoñaciones estimulan la imaginación del niño. Relajan su mente y activan las experiencias personales de su hijo.

● Un viaje imaginario consta de tres fases principales: la aproximación relaja el cuerpo y prepara mentalmente al niño para la ensoñación. Su hijo permanece en la isla de la calma, acostado y con los ojos cerrados. Así podrá introducirse bien en el sueño y dejar aflorar sus visualizaciones internas. Al finalizar, la extracción hará que el niño regrese suavemente a la realidad. El sueño se acaba. El niño regresa al estado normal de vigilia.

● El viaje imaginario incluye una cierta acción mediante la cual el niño activa su imaginación y su fantasía. Ve claramente cuáles son sus deseos y sus propósitos. El niño se mete en diferentes papeles y su imaginación le permite probar nuevas pautas de comportamiento. En ese ambiente protegido también puede acercarse a sus temores e incluso hacerlos desaparecer.

● Después de un viaje imaginario, hable con su hijo sobre sus vivencias. O pídale que represente su sueño en un dibujo. Así el niño tendrá la oportunidad de expresar sus necesidades y sus sentimientos. Y es probable que los padres vean desde un nuevo punto de vista qué es lo que ocupa o preocupa actualmente a su hijo.

● Las imágenes estáticas son viajes imaginarios sin acción. Crean un ambiente agradable. El niño permanece en una escena. Las imágenes estáticas ayudan a eliminar el estrés y a veces también constituyen un buen complemento para el ritual de cada noche, permitiendo que el niño se duerma plácidamente.

Posición de partida

El niño está acostado de espaldas (ver pág. 20) en la isla de la calma. Usted le habla y el niño escucha.

La aproximación

Iniciar un viaje imaginario

«*Ahora te voy a explicar un sueño. Estírate cómodamente y cierra los ojos para que puedas imaginártelo todo perfectamente.*»

El sueño

«*Imagínate que estás estirado en la playa. Te sientes muy cómodo sobre la arena blanda y cálida. Muévete un poco de un lado a otro para hundirte un poco más en la arena. Está caliente. Oyes el rumor de las olas. El sol brilla en lo alto y te calienta la piel. De repente oyes un fuerte chapoteo en la orilla. Te giras y ves que hay un delfín que se desliza sobre la arena hacia ti. Incluso sabe tu nombre, y te llama: «¡Hola!», te dice, «He venido a buscarte. Si quieres, puedes montarte sobre mi lomo para surcar las aguas. Me gustaría enseñarte una isla muy le-*

Viaje a la isla imaginaria

jana». Estás muy sorprendido, pero la curiosidad te puede. Le dices que sí y te deslizas por las olas. Te diviertes mucho montar en el delfín disfrutando del sol y del agua. Al cabo de un tiempo llegáis a una isla maravillosa. Dispones de mucho tiempo para contemplar la isla a tu aire. ¿Habrá en ella animales mansos con los que tú puedas hablar? ¿O plantas desconocidas con unas flores preciosas? A lo mejor incluso encuentras una cueva con un tesoro. ¿Encontrarás allí a amigos, o a tus padres? Piensas en quién te haría ilusión encontrar en un lugar así. Pero a lo mejor hoy necesitas más tranquilidad y prefieres estar solo. Puedes seguir soñando un poco más e imaginártelo todo con detalle (unos minutos de calma).»

Potencie la imaginación de su hijo

La extracción

Retroceder lentamente

«Ya va siendo hora de regresar de tu isla maravillosa. Llama al delfín. Él te traerá de regreso a la playa. Pero tú sabes que puedes viajar a tu isla siempre que lo desees, cuando necesites tranquilidad o quieras vivir aventuras. Estírate y desperézate como cuando te levantas por la mañana. Respira profundamente unas cuantas veces. Te sentará bien y te refrescará.»

Después del sueño

Después de un viaje imaginario usted tendrá la posibilidad de saber más acerca de los sentimientos y los deseos de su hijo. Debería hablar con el niño sobre sus experiencias y sus percepciones. Le podría plantear, por ejemplo, las siguientes preguntas:

- ¿Qué has soñado?
- ¿Has visto la isla?
- ¿Cómo eras tú en el sueño?
- ¿Qué has vivido?
- ¿Qué es lo que más te ha gustado del viaje (y qué es lo que menos)?

Si dispone de más tiempo, pídale al niño que pinte una escena del sueño que le haya parecido muy importante. Al pintar, el niño profundiza en sus sentimientos. Se puede expresar con imágenes. Una música de fondo suave puede ayudarle a concentrarse mejor. A lo mejor a usted también le hace ilusión pintar. Hagan luego un intercambio de ideas.

Comente con el niño el dibujo que ha pintado

Reacciones de su hijo

A muchos niños les encantan los ejercicios tranquilizadores; especialmente los viajes imaginarios (vea también el recuadro de la pág. 38).

En su imaginación, el niño puede verse a sí mismo fuerte y valiente. Puede aplicar a su comportamiento las reacciones de otros y probar de interpretar nuevos papeles.

¿Cumplir todos los deseos?

Cuando los niños dan rienda suelta a sus sentimientos y a sus deseos, también suelen percibir necesidades que hasta ese momento no habían sido capaces de notar o que simplemente no sabían cómo expresar. Pero esto no implica en absoluto que haya que satisfacer inmediatamente todas esas necesidades y esos deseos. Explíquele a su hijo la diferencia que hay entre los deseos materiales y la necesidad de contacto físico y seguridad. Converse tranquilamente con él y comenten cómo podrían hacer realidad sus deseos más importantes.

En el caso de que su hijo no sea capaz de visualizar

Algunos niños no siempre pueden conseguir que sus palabras y estímulos para el viaje imaginario se transformen en imágenes visibles. A lo mejor les recuerdan olores o sonidos de alguna situación vivida con anterioridad. No se decepcione si su hijo percibe las cosas de un modo diferente al suyo. Atienda a las preferencias sensoriales del niño y no insista tanto en los impulsos visuales del viaje imaginario. Con más práctica su hijo también llegará a visualizar imágenes.

Si su hijo tiene miedo

Los viajes imaginarios conectan con vivencias e imágenes de las capas más profundas del consciente. Además de relajación y deseos también pueden surgir temores y angustias. Y éstos están ligados a alguna situación vivida anteriormente. Así, un viaje imaginario hacia una playa paradisíaca podría hacer que un niño recordase unas vacaciones felices y se sintiese tranquilo y contento. Pero también es posible que otro niño haya pasado un mal rato con el oleaje de la playa y el recuerdo no haga sino despertarle viejos temores y trasladarle a situaciones muy desagradables para él. Si aparecen estos temores es señal de que el niño aún no ha asimilado por completo una vivencia. Durante un ejercicio tranquilizador se crea un ambiente en el que el niño puede ver sus viejos temores desde una posición mucho más relajada. Más tarde, hable con él para averiguar qué es lo que le ha provocado ese miedo. Analícenlo juntos. Piense si actualmente todavía tiene razón de ser y cómo puede ayudar a su hijo a superarlo. Generalmente los viejos miedos suelen desaparecer después de estos sueños y conversaciones. A veces también puede ser útil recurrir a pequeñas ayudas, como por ejemplo un muñeco de peluche fuerte o cambiar el ritual de la hora de irse a dormir.

Comentar los temores

¿Su hijo no quiere tener ahora un rato de descanso?

De vez en cuando puede suceder que a su hijo no le apetezca llevar a cabo un ejercicio tranquilizador. La próxima vez procure estimularlo con nuevos impulsos para que colabore. Si no se presta al ejercicio tranquilizador propóngale uno de movimiento, y viceversa. Nunca se le ocurra obligarlo a participar: al niño la predisposición para la calma y la tranquilidad ha de salirle de dentro. Y su estado anímico también puede experimentar cambios. Si se da cuenta de que hoy la cosa no va a ir bien, no dude en interrumpir el ejercicio. Vuelva a intentarlo más tarde. Varíe la ambientación o los temas. Los próximos ejercicios deberán ser breves para no forzar demasiado al niño.

Reaccionar ante el actual estado de ánimo del niño

SUGERENCIA

Después de las primeras experiencias con los ejercicios tranquilizadores

Ahora usted ya sabe cuáles son los marcos internos y externos que le puede proporcionar a un ejercicio tranquilizador (ver pág. 25 y sig.) y ya ha tenido oportunidad de aprender los primeros juegos y ejercicios. A lo mejor necesita aún algunos consejos que le permitan definir su propio ritual de tranquilización.Cree su propio marco para los siguientes ejercicios partiendo de lo que ha experimentado hasta ahora.

● Le será más fácil empezar si cuenta con una estructura fija. Su hijo también se orientará mejor si dispone de elementos conocidos. Éstos le proporcionarán la seguridad que necesita para poder enfrentarse a situaciones desconocidas. Por lo tanto, es conveniente que el lugar, la hora y las circunstancias sean siempre los mismos.

● Desarrolle un comienzo adecuado para su hijo a base de palabras y hechos que les proporcionen paz a ambos.

● Acondicione la isla de la calma dándole un ambiente propio.

● Elija una música determinada como melodía de arranque.

● Busque algunas palabras que le permitan finalizar el ejercicio y facilitar el paso de su hijo a la realidad cotidiana (ver por ejemplo la salida de la pág. 39).

Paso 2: Grupos completos de ejercicios

Ahora ya ha aprendido ejercicios sueltos y seguramente habrá disfrutado practicando algunos de ellos junto con su hijo. Después de estas primeras experiencias con los ejercicios tranquilizadores ya puede atreverse a realizar un grupo completo de ejercicios con la misma temática. Ocúpese a fondo de aquello que la rodea en la vida cotidiana: tierra, agua, fuego, el tiempo o un animal. Su hijo disfrutará del juego en común y luego volverá a la rutina diaria sintiéndose recuperado y fortalecido. Y usted tendrá la ocasión de captar su entorno por un tiempo con los ojos de un niño...

Creación de un grupo de ejercicios

Relajación mediante grupos de ejercicios

En este capítulo encontrará ocho conjuntos formados por ejercicios tranquilizadores relacionados entre sí. A su hijo le sentará bien alternar varias veces entre acción y tranquilidad. Pronto será capaz de emplearlos cotidianamente, además, el niño puede relajarse más profundamente con una sucesión de ejercicios que con un solo ejercicio de corto.

Cada conjunto tiene una temática

Los ejercicios que forman cada conjunto tienen un tema en común. Esto hace que el conjunto funcione como una historia por capítulos, y logra que el niño lo siga con mayor

IMPORTANTE

¿Qué es un conjunto de ejercicios?

- Cada conjunto está formado por cuatro ejercicios correlacionados: uno para moverse, uno para relajarse, un ejercicio de percepción y otro para tranquilizarse.
- Todos los ejercicios de cada conjunto tienen un tema en común.
- Para realizar un conjunto de ejercicios deberá disponer por lo menos de media hora.

atención y curiosidad. Los temas hacen referencia a las experiencias que ya pueda haber vivido el niño: el contacto con los elementos de la naturaleza, el tiempo y los animales.

De qué consta cada conjunto

Los conjuntos de ejercicios empiezan con una toma de contacto que le servirá para hacerse una idea sobre el tema que se tratará.

Se puede variar la secuencia de las partes del ejercicio

Muchos niños necesitan empezar por librarse de sus tensiones físicas antes de poder pasar a las fases tranquilas. Por lo tanto, la toma de contacto irá seguida de un ejercicio de movimiento. Pero no es imprescindible seguir siempre esta secuencia: usted puede alterar el orden de los ejercicios de cada conjunto como mejor le convenga en cada caso. Si su hijo necesita calma o está cansado, quizá sea mejor empezar la serie con un ejercicio de relajación.

Si nota que la atención de su hijo disminuye al practicar, reduzca la duración de los ejercicios de percepción y tranquilidad. En caso necesario, elimine por completo el ejercicio de percepción y finalice las prácticas con una breve fase de tranquilidad.

Grupo de ejercicios de tierra

Antes de empezar, póngase en sintonía con el tema de que trata el grupo de ejercicios. Cada día recibimos los regalos de la tierra. La tierra nos ofrece un suelo firme bajo nuestros pies. Es nuestra base, nuestro hogar.

Recuerde cuál fue su último contacto con la tierra: trabajos de jardinería, alfarería, cocina. ¿Qué olor y qué gusto tienen la tierra y sus regalos?

Más sobre la tierra

«Caminamos sobre la tierra. Construimos casas en las que vivimos. La tierra transforma las semillas en plantas que nos proporcionan sombra y renuevan el aire que respiramos. Muchas son comestibles.

La tierra puede presentar muchos aspectos: montañas y valles, rocas, piedras, arena, terrenos fértiles. Nos proporciona alimentos y también tesoros tales como las piedras preciosas y el oro. Oculta muchas riquezas. Por lo tanto, acércate a ella con cuidado. Hoy vamos a ocuparnos de la tierra en nuestra isla de la calma. Nos tomaremos tiempo para saber más de la tierra a través de juegos e historias.»

Notar el contacto con la tierra

«Sácate los calcetines: ¿Cómo notas el suelo? ¿A tus pies les gusta sentirse así de libres? Caminemos sin avanzar. Ahora caminamos en silencio como los indios… Ahora corremos… Ahora saltamos… ¿Notas los pies calientes y con un cosquilleo? ¡Venga, hagámoslo otra vez!»

Así pueden seguir jugando

▶ Busque una música para pies que les guste a usted y a su hijo. A lo mejor un ritmo rápido del tipo: largo-corto-corto-largo, largo-largo-corto-corto.

Juego con la bola de masa

Ejercicio para relajarse

El consabido ejercicio de apretar y aflojar hace que los músculos se relajen muy bien.

Posición de partida

Su hijo está acostado de espaldas (ver pág. 20) en la isla de la calma. Usted le habla, él escucha.

«A lo mejor ahora notas los pies cansados. Acuéstate un poco. Imagina que tienes una bola de masa en tu mano derecha. Amásala con fuerza hasta que se haga bien blanda.

Apretar con fuerza y luego soltar, un buen ejercicio para los músculos

* Ahora coloca la bola de masa bajo la palma de la mano y apriétala hasta aplanarla. Aprieta aún un poco más fuerte. Afloja lentamente la fuerza y levanta la mano un poco del suelo. Mantenla así durante dos o tres respiraciones, nota lo mucho que pesa y las ganas que tiene de vol-

ver a apoyarse sobre el suelo. (Repetir otra vez a partir de *). *Toma la bola de masa con la mano izquierda* (hacer los mismos movimientos que con la mano derecha).»

Deje que su hijo también perciba el efecto de la presión y la fuerza de la gravedad con otras partes de su cuerpo. Cuanto mayor sea el niño, más tiempo podrá durar el ejercicio. Practique por ejemplo con los brazos, los omoplatos, los talones y las piernas. Su hijo puede contraer el vientre, apretar fuertemente la espalda contra el suelo y luego volver a levantar la barriga.

«Disfruta de la sensación de estar acostado y relajado, de notar cómo tu cuerpo está caliente, del cosquilleo que lo recorre… Ahora estírate y desperézate como haces por la mañana al levantarte.»

Texto de introducción para el juego de la bola de masa

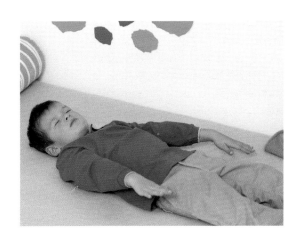

Tierra, arena y piedras

Esto es lo que va a necesitar:
- Algunos boles de postre tapados que contengan tierra, arena y piedrecitas, tanto secas como húmedas.
- Trapo para tapar los ojos.

Ejercicio de percepción

«Ahora ya estás lo bastante despierto como para poder practicar un

juego de percepción. Te voy a tapar los ojos para hacerlo más interesante. Siéntate en la isla de la calma. Delante de ti hay varias cajitas y cada una de ellas contiene algo relacionado con nuestro tema de la tierra. Toca lo que hay dentro de cada cajita, primero con los dedos y luego con toda la mano. Huélelo. ¿A qué huelen tus manos? ¿Qué hay en las cajitas? ¿Qué huele mejor? ¿Qué te recuerda este olor?»

Así puede seguir jugando

▸ Coge con cada mano el contenido de un bol: ¿Qué te parece más agradable?

▸ Con los ojos abiertos: ¿Cuántas piedrecitas puedes coger con cada mano?

▸ Construyan juntos una pirámide de piedrecitas.

La piedra mágica

«Ya ha llegado la hora de calmarse. Busca la piedra que más te guste y guárdatela en la mano. Puedes abrazarte a mí y ponerte cómodo en mi regazo… Imagínate que has estado mucho rato jugando en el parque. Todavía estás lleno de arena (sacúdele la arena de la espalda, las piernas, los brazos y el pelo). Aguanta bien la piedra en la mano. Es tu piedra mágica. La has encontrado en el parque y enseguida te diste cuenta de que sería tu piedra mágica: brillaba de un modo tan misterioso. ¿Cómo es que los demás no se daban cuenta? Estás feliz de habértela encontrado y ahora la notas en tu mano. ¿No está caliente? Entonces es que está desplegando su magia. Esta piedra hará que seas muy tranquilo y fuerte. Nota en ti su fuerza. Apóyatela en la frente y nota cómo te llega su energía. Si quieres, mañana te la puedes guardar en un bolsillo y llevártela a la guardería (parvulario, colegio). Tócala con la mano. ¿Te da fuerza y tranquilidad? Ahora disfruta de esa calma durante un rato más. Abre los ojos, respira profundamente un par de veces, desperézate y estírate.»

Grupo de ejercicios de agua

Téngalo en
cuenta: el
agua es muy
importante

El agua es fuente de vida. Todos los animales y plantas contienen un elevado porcentaje de agua. La vida empieza en el seno materno, y el embrión está rodeado de líquido.

El elemento agua es móvil. Fluye, simboliza los cambios, el flujo de la vida.

El elemento húmedo

Refrescante,
revitalizante y
siempre en
movimiento: el
agua

«Te enfrentas al agua muchas veces al día: la bebes, te lavas con ella. A lo mejor te gusta bañarte en la bañera de casa, ¿o te gusta más ir a nadar al mar o a la piscina?

Hay agua en todas partes, y siempre se recicla. Piensa en un río, en la lluvia, en una fuente, en una bebida o en la sopa. ¿Sabes para qué sirve el agua? ¿Quién la necesita para vivir? (flores, animales, personas, árboles…). También nuestros juegos de hoy tienen que ver con el agua.»

Con estas
ideas animará
a su hijo

Un día de colada

En el día de colada el niño juega a extender y estirar su cuerpo. Si mantiene las piernas estiradas, el ejercicio le resultará más revitalizante.

Ejercicio de
movimiento

*«Hoy nos toca hacer la colada. Llevamos un pesado cesto con la ropa sucia y lo ponemos en el suelo delante de nosotros. * Sacamos un par de calcetines verdes sucios, los sumergimos en un barreño con agua y los lavamos frotando fuertemente con ambas manos* (frotar las palmas de las manos entre sí). *Golpeamos fuertemente los calcetines y escurrimos el agua sacudiéndolos* (sacudir 3 veces los brazos). *Ahora colgamos los calcetines en el tendedero. Estiramos los brazos hacia lo alto* (estirar-

Texto de
introducción
para el día
de colada

tando cómo el flujo de aire entra dentro de ti y vuelve a salir... dentro y fuera... Imagínate que has recorrido un largo camino por el bosque. Estás cansado y sucio. De repente oyes un murmullo lejano. Te diriges hacia él y ves que es una gran cascada. Pones las manos en las salpicaduras del agua. Está agradablemente fresca. Te limpias el polvo y el sudor de la cara. Te apetece colocarte todo tú bajo la cascada. Te quitas la ropa y te metes en ella. ¡Oh, que agradable es notar el agua en el pelo! Fluye por tu cara, tu vientre, tus brazos..., sobre los hombros, a lo largo de la espalda, por el culito, las piernas, hasta llegar a los pies. El agua se lleva la suciedad, el polvo y todo lo que te hacía sentir cansado. Quédate un rato bajo el chorro de la cascada, gírate un poco para que el agua te lave bien todo el cuerpo... Cuando te sientas despierto y despejado, abre los ojos.»

Así resulta divertido trabajar: reír mientras colgamos una colada imaginaria

se con fuerza y alzarse sobre las puntas de los pies). *Sujetamos los calcetines con las pinzas de la ropa.* (Repetir varias veces la secuencia a partir de *. Decida con su hijo qué pieza de ropa van a lavar y colgar a continuación.) *Ahora ya hemos lavado toda la ropa. Nos sentamos en el suelo y contemplamos una vez más nuestra obra acabada. ¡Y mientras la ropa se seca todavía nos queda tiempo para jugar a algo!»*

Agua y hielo

Esto es lo que va a necesitar:
- Una cucharadita de agua
- Un poco de hielo del congelador
- Dos cojines o libros
- Si dispone de suficiente tiempo:
- Papel y acuarelas

La cascada

Una historia relajante

«*Acuéstate en tu isla de la calma y recupérate un poco del esfuerzo de lavar la ropa. Ponte cómodo y cierra los ojos. Respira unas cuantas veces no-*

Explique esto cuando su hijo perciba el agua y el hielo:

«*Siéntate apoyado sobre los talones (ver pág. 23) y cierra los ojos.*

Texto de introducción para el ejercicio de agua y hielo

Abre las manos y ponlas formando un cuenco. Mantén los ojos cerrados mientras yo te pongo algo en ellas (vierta una cucharadita de agua en las manos del niño). *¿Qué notas? ¿Es una sensación agradable o no? ¿Frío o calor? ¿Cambia la sensación con el tiempo? Ponte un poco de agua en el dorso de las manos. ¿La notas distinta de antes? Abre la mano izquierda* (póngale un poquito de hielo en ella). *¿Qué notas? Presta atención mientras el hielo se funde. Ahora puedes refrescarte la frente con el agua que ha quedado al fundirse el hielo.»*

Variante: mantener el agua en equilibrio

Texto de introducción para equilibrar el agua

«En muchos países no tienen agua corriente. La gente tiene que ir a buscarla a los pozos y a las fuentes. Imagínate que nosotros dos somos portadores de agua. Cada uno lleva un gran recipiente con agua sobre la cabeza. Tenemos que caminar muy erguidos para que no se nos caiga el agua (colóquense un libro o un cojín sobre la cabeza).»*

Así pueden seguir jugando

▶ Caminen por la habitación manteniendo el equilibrio.
▶ Caminen hacia atrás, dando vueltas y agáchense.
▶ Si lo hacen al aire libre pueden ponerse sobre la cabeza un pequeño cubo con agua de verdad e intentar mantener el equilibrio al andar.

Un buen final: retozar a gusto

Ejercicio tranquilizador

«También los portadores de agua llega un momento en que se cansan. Para descansar puedes colocarte junto a mí. Cierra los ojos. Piensa una vez más en nuestros juegos con agua. Primero hemos hecho la colada, luego nos hemos refrescado en una cascada. Has notado el agua y el hielo y has mantenido agua en equilibrio.»

Si todavía dispone de más tiempo puede seguir el juego y pedirle al niño que pinte un dibujo para mostrar lo que ha experimentado.

Para animarlo a pintar

«Recuerda una vez más la cascada. Fíjate muy bien en ella. ¿Te ves a ti mismo bañándote en ella? Ahora tienes tiempo para pintar esta imagen con las acuarelas.»

Con los niños también puede hacer esto:

Más ideas respecto al agua

▶ Salir al exterior a disfrutar de la lluvia y notarla sobre la piel
▶ Pintar en la calle con agua y un pincel
▶ Por la noche, disfrutar del baño o de la ducha

Grupo de ejercicios de fuego

Prepárese para
el elemento
fuego

El elemento fuego es tan fascinante como peligroso. Si sabemos cómo controlarlo nos proporciona luz y calor. Pero en las catástrofes, como por ejemplo los incendios forestales, su efecto resulta impredecible.

El fuego hace que nuestra alimentación sea más agradable y saludable. El calor también nos permite generar la electricidad con la que iluminamos nuestros hogares y hacemos funcionar infinidad de aparatos.

El fuego es vida: sin esa gigantesca bola de fuego que es el Sol, la Tierra estaría fría y muerta. El Sol nos proporciona luz y calor.

Las plantas transforman esta energía en vida: crecen y prosperan. El interior de la Tierra está incandescente, y nos muestra su energía en las erupciones volcánicas.

El fuego purifica. Se quema lo viejo y seco para hacer sitio a la vida. Y nuestro proceso digestivo también es una especie de fuego interno: Los alimentos se queman para transformarse en energía, fuerza y calor.

Fascinante, hermoso, pero también peligroso: el fuego

El fuego es vida

«El fuego es muy importante para nosotros: nos proporciona calor. Piensa en una hoguera. Su olor es agradable y reconfortante. Las llamas nos fascinan. Pero con el fuego hay que ir siempre con muchísimo cuidado.

El Sol también es de fuego: ¡una gigantesca bola de fuego! Sin él no podría haber vida en la Tierra. El Sol nos da luz y calor. Y en el centro de la Tierra hace tanto calor que se funden hasta las rocas. En algunos lu-

Con estas palabras animará al niño

gares estas rocas fundidas llegan hasta la superficie. Allí es donde aparecen los volcanes. Hoy en nuestra isla de la calma nos vamos a ocupar del fuego.»

Erupción volcánica

Juego de movimiento

Esto es lo que va a necesitar:
- Todos los cojines o mantas que pueda disponer.

Es divertido y ayuda a eliminar la agresividad jugando: ¡ideja que el volcán haga erupción!

«Ahora vamos a interpretar la erupción de un volcán. Yo me voy a acostar en el suelo enrollada como un ratoncito y tú me cubrirás con cojines y mantas hasta taparme por completo. Ahora soy un volcán. Duerme profundamente en el interior de una montaña. Pero de repente el volcán se

va a calentar y a calentar… Lentamente empieza a temblar y hervir (agítese un poco de un lado a otro)… De repente, el volcán explota y escupe fuego desde el interior de la Tierra (levántese y lance los cojines en todas direcciones). ¿Quieres ser tú ahora el volcán?»

Texto de introducción para la erupción volcánica

Al intercambiar los papeles, incite al niño a remarcar los sonidos; un volcán cruje y retumba hasta hacer erupción con un tremendo estampido. Así el niño eliminará sus tensiones. La ira y los enfados contenidos pueden aflorar así de una forma controlada.

El fuego interno

«Después de nuestro juego del volcán, acuéstate de espaldas en tu isla de la calma. Cierra los ojos. A lo mejor tienes mucho calor. Si nos quedamos muy quietos podremos notar nuestro fuego interno. Así es como llamamos a la energía que nos da calor, que nos impulsa a ser felices y nos da fuerzas para jugar, correr y estudiar. Nota el suelo debajo de ti. ¿Te gustaría ponerte un poco más cómodo? Nota tu respiración, cómo fluye hacia dentro y hacia fuera… dentro y fuera… Ahora imagínate que tienes un fuego que te calienta desde el centro de tu cuerpo, a la altura del ombligo. Ése es el centro de calor, el que nos

Relajarse jugando

da la fuerza. Si te fijas bien, a lo mejor notarás cómo tu barriga se calienta de forma muy agradable. Deja que ese calor fluya por todo tu cuerpo. (Ponga sus manos sobre el vientre o la espalda del niño y frótele con las palmas sobre las partes del cuerpo que le vaya mencionando.) *El calor se extiende hacia tus piernas, fluye de tu vientre hacia la pierna izquierda descendiendo por el muslo hasta llegar a calentarte el pie y sus dedos.* (Repita lo mismo con la pierna derecha.) *Ahora el calor se proyecta desde el centro de tu cuerpo hacia el pecho y sigue hacia el hombro y el brazo izquierdo para llegar hasta la mano y los dedos* (lo mismo con el brazo derecho). *Finalmente, el calor sube por el cuello para llegar hasta la cabeza y salir por su parte superior. La cabeza se ve invadida por una sensación de calor. Entonces sopla una ligera brisa que te refresca agradablemente la frente* (sóplele un poco en la frente). *Disfruta unos momentos de esta reconfortante sensación de calor. Respira un par de veces profundamente, ahora estás fresco y despierto.*»

Juegos de fuego

Esto es lo que va a necesitar:
- Algunas lamparillas en platitos de cristal
- Varias hojas de papel pegadas entre sí y lápices de colores

- Música clásica tranquila

Situación de partida

Siéntense en la isla de la calma uno frente al otro. Encienda una vela cuidadosamente y en silencio. Póngala entre los dos.

«*Queremos observar la vela con tranquilidad. Su llama nos proporciona luz y calor.*»

Percepción de la llama

«*Fíjate bien en la luz. ¿Qué colores puedes ver en ella? Observa cómo se mueve. Parece como si el fuego estuviese vivo. Acerca el dorso de la mano lentamente a la llama. Nota su calor. ¿A qué distancia puedes seguir percibiéndolo? ¿Cuándo te resulta demasiado caliente?*»

La vela flamea

«*Sopla suavemente hacia la llama. Hazla flamear.* (Varíe un poco el juego después de algunas respiraciones. Por ejemplo, con estas sugerencias:) *Vamos a jugar con la llama: haz que unas veces se mueva poco y otras mucho, pero sin que llegue a apagarse.*»

Danza del fuego

Ponga algunas velas en el centro de la habitación provistas de unos candelabros que sean seguros. Si le parece peligroso hacerlo así, pinte con su hijo una gran ho-

SUGERENCIA

Consejos para su danza del fuego

Bailen dando los pasos con un cierto ritmo, tranquilo y concentrado. Así podría ser su danza del fuego:

- Dar cuatro pasos en círculo
- Dar cuatro pasos cortos para acercarse al fuego levantando los brazos y moviendo los dedos como si fuesen llamas flameantes
- Dar cuatro pasos hacia atrás bajando los brazos
- Repetirlo todo unas cuantas veces

guera en las hojas de papel pegadas entre sí y colóquelo en el centro de la habitación. Elija una música clásica tranquila. Baile siguiendo un determinado ritmo (vea el recuadro de arriba).

«Imaginemos que las velas (o las llamas pintadas en el papel) son una gran hoguera. Queremos bailar juntos alrededor del fuego.»

Día junto a la hoguera

Viaje imaginario para tranquilizarse

«Acuéstate en tu isla y quédate tranquilo. Cierra los ojos y relaja tu respiración. Pronto empezarás a soñar. Sueñas con un determinado día junto a tus compañeros de clase (de la guardería o del colegio): vais de excursión al bosque. Es verano y jugáis al aire libre durante todo el día: sobre los troncos caídos, a orillas de un riachuelo... Es divertido jugar en el bosque. No tenéis tiempo de pensar en comer. Pronto resulta que es media tarde. El Sol ya está bajo y os reunís en un claro del bosque. Acumuláis ramas secas. Algunas pesan bastante y os cuesta arrastrarlas. Todos colaboran y cada uno aporta lo que puede. Amontonáis la madera en medio del prado. La profesora (guía) enciende el fuego. Empieza a chisporrotear, se enciende y aparecen las llamas. Tú hueles el humo aromático de la madera de bosque. El Sol cada vez está más bajo y empieza a hacer fresco. Te gusta que la hoguera os proporcione luz y calor. A lo mejor te apetece cantar o bailar junto al fuego con tus compañeros. Quizá tienen hambre y empiezas a asar unas salchichas sobre las brasas. Sueña un poco con tu hoguera hasta que yo te despierte... Ahora saldremos de tu sueño. Tómate tu tiempo. Estírate y desperézate.»

Texto de introducción para el viaje imaginario del fuego de hoguera

Grupo de ejercicios de aire

El aire que nos rodea no podemos verlo. Pero lo notamos. Sólo cuando nos quedamos quietos podemos percibir las características del aire: es seco o húmedo, suave como una brisa o fuerte y huracanado. Huele a bosque, a mar o a flores. El aire es indispensable para la vida: nuestra respiración forma parte del ciclo vital de ir y venir, de hacer y deshacer, crear y destruir. El aire es sinónimo de ligereza y de movilidad. Soñamos con volar. Nos gustaría ser como los pájaros y sentir el viento en las alas.

Experiencia aérea

«El aire es de suma importancia para todos los seres vivos. Constantemente estás inspirando aire fresco y espirando el usado. Siempre tenemos un poco de aire dentro de nosotros y mucho a nuestro alrededor. Tú no puedes ver el aire, pero puedes percibir el flujo del aire sobre tu piel. Y también puedes olerlo. A veces el aire huele bien, pero otras veces huele mal. Los pájaros y las mariposas vuelan en el aire, las hojas se mecen con el viento, y en otoño puedes hacer volar una cometa…

Hoy vamos a practicar algunos juegos en los que vas a poder notar tu respiración y el aire que nos rodea.»

El baile de las hojas

Éste es un ejercicio que se ha de realizar con música: preferiblemente el «Otoño» de *Las cuatro estaciones*, de Antonio Vivaldi, o bien un vals.

Esto es lo que ha de explicar para el baile de las hojas

«Ponte de pie y cierra los ojos. Imagínate que eres una hoja mecida

de aquí para allá por los vientos oto-
ñales. ¡Abre tus brazos y baila como
una hoja en el viento!»

Nota tu respiración

Ejercicio para relajarse

«Ahora puedes descansar en tu
isla. Siéntate sobre los talones (ver
pág. 22) *y apoya las manos sobre el*
vientre. ¿Notas cómo la barriga se
hincha automáticamente al respi-
rar? ¿Y cómo vuelve a descender
cuando expulsas el aire? A lo mejor
tu respiración es un poco rápida por-
que has bailado mucho. En ese caso
esperemos hasta que se haga más
lenta… ¿Me dejas notar tu respira-
ción? Encógete como un ratón y
apoya la cabeza sobre el suelo. Colo-
co las manos sobre tu espalda y bus-
co los lugares en los que mejor pueda
notar tu respiración… ¿Quieres no-
tar tú la mía? (Cambien de posiciones.)»

La postura del ratón ayuda al niño a percibir su respiración

SUGERENCIA

Algodones voladores

▸ Si en casa no tiene ningún juego para hacer pompas de jabón, coja un poco de algodón. Observen juntos cómo vuelan los trocitos de algodón. Deje que el niño baile soplando el algodón. Sóplele desde distintos ángulos.

Juegos con pompas de jabón

Ejercicio de percepción

Esto es lo que va a necesitar:
● Juego de pompas de jabón, o algodón (ver recuadro de arriba)
● Una toalla para abanicar con fuerza

Soplar pompas de jabón

«Vamos a turnarnos para soplar
pompas de jabón. Procura hacer
muchas pompas pequeñas. ¿Puedes
hacer también una muy grande?»

Así podrán seguir jugando
▸ Contemplen juntos cómo flotan en el aire las pompas de jabón.
▸ Soplen una pompa de jabón para hacerla ir de un lado a otro.
▸ Abaniquen las pompas de jabón con una toalla o con un paño grande para hacer que bailen salvajemente.

Texto de introducción al baile de las pompas de jabón

El baile de las pompas de jabón

«Ahora ya has observado bien
cómo vuelan las pompas de jabón.

Imagínate que tú eres una de ellas. Y yo te soplo. Vuela en la dirección en que te empujo hasta que te sople un nuevo impulso.»

Hacer volar pompas de jabón

Sueño para tranquilizar

«Descansa en tu isla después de tanto bailar y soplar. Si quieres, acuéstate apoyándote en mí y ponte cómodo. Ahora tienes tiempo para soñar. Si cierras los ojos aun podrás soñar mejor… Sueñas con que tienes una gran pompa de jabón. La argolla por la que soplas es tan grande como un plato sopero. Trepas a un árbol muy alto llevando tu botella y te sientas en la bifurcación de una rama. Entonces empiezas a soplar pompas de jabón. Mojas el aro en el líquido, lo colocas ante tus labios y soplas

Texto de introducción al vuelo de las pompas de jabón

(sople usted lentamente). Se forman muchas pompas de jabón del tamaño de balones de fútbol. Flotan en el aire a tu alrededor y brillan con todos los colores del arco iris. El viento las lleva de un lado a otro. Flotan sobre los prados. Ahora soplas una con mucho cuidado. Consigues una pompa de jabón enorme. Es tan grande que tú no puedes abarcarla. Te quedas sorprendido y piensas que te gustaría poder viajar en ella. Y, de repente, ¡plof! ¡Estás sentado dentro de la burbuja! Te llega un golpe de viento y te vas con ella. Flotas libremente con tu pompa de jabón. Te sientes muy ligero. Contemplas los bosques y prados que desfilan por debajo de ti. A lo mejor llegarás a un país lejano, o irás a parar con personas a las que te haría ilusión visitar… Mira a tu alrededor y disfruta del viaje, hasta que yo te despierte.»

Volar en ingravidez y disfrutar de la falta de peso

¡A todos los niños les encantan las pompas de jabón!

Grupo de ejercicios del tiempo

A los niños les encanta notar los cambios del tiempo: vientos y tormentas, una cálida lluvia de verano, heladas invernales, nieblas de otoño. Muchos adultos prefieren esquivarlos: uno se podría mojar, o resfriarse. Siempre hace demasiado calor, o demasiado frío. Pero podría ser tan bonito disfrutar de todo ello. Hoy va a invitar a su hijo a gozar del tiempo con usted: a dejar que se le alborote el cabello, a notar la lluvia sobre la piel…

Jugamos al tiempo

Durante el siguiente ejercicio su hijo puede estar en movimiento, y usted marcará con él el tema del grupo de ejercicios: el tiempo. ¡Y si lo hace acompañado de su música favorita, aún mejor!

Esto es lo que le explicará al jugar:

*«Hoy vamos a jugar al tiempo. Pondremos música. En cuanto la música pare tendrás que interpretar un determinado tiempo. Yo ya te iré diciendo cuál: si te digo «Sol», te colocas cara al Sol con los brazos ex-*tendidos y dejas que te caliente la cara. Si oyes la palabra «lluvia», te quedas quieto y mueves los dedos como si fuesen gotas de agua. Si te digo «arco iris», haces un puente apoyándote en el suelo con las manos y los pies. Con las rodillas y los brazos extendidos, tu cuerpo se curvará como un arco iris. Y de vez en cuando podrás bailar al son de la música, como las gotas de lluvia en el viento.»*

¡Después deberá ser su hijo el que le dé las indicaciones a usted! Con los niños mayores puede am-

pliar el juego: busque las posturas para nube, rayo, trueno, tormenta…

Masaje de tormenta

Ejercicio para relajarse

«Acuéstate boca abajo en tu isla de la calma. Quiero interpretar una tormenta sobre tu espalda. Ponte bien cómodo… Así. Ahora cierra los ojos y disfruta de nuestro juego de espalda.

A primera hora de una mañana de verano, la niebla todavía se extiende por los valles (frotar con ambas manos la espalda, los hombros y las piernas del niño). *Lo cubre todo. Finalmente, el Sol logra atravesar la niebla y empieza a calentar la Tierra por aquí y por allá* (mantenga las palmas de las manos durante más tiempo en un mismo punto del cuerpo del niño y caliéntelo). *El Sol cada vez está más alto. Es un bonito día de verano. Pero en el horizonte empiezan a aparecer algunos oscuros nubarrones* (frotar por toda la espalda). *Cada vez se hacen mayores y más negros. Primero vemos un rayo* (chasquido o aplauso con las manos) *y luego oímos el trueno* (tamborileo con los puños sobre la espalda). *Empiezan a caer las primeras gotas* (tóquele la espalda con las puntas de los dedos). *Cada vez llueve con más fuerza. Luego amaina. Llega el viento* (sople so-

Texto de introducción para un masaje movido

bre la espalda y el pelo) *y se lleva las nubes. Ahora ya vuelve a brillar el Sol* (caliéntele la espalda con las palmas de las manos).»

Percibir el tiempo

Esto es lo que va a necesitar:
- Un pulverizador de agua, para hacer lluvia
- Un trapo o toalla para el viento
- Una lámpara de pie para que haga de Sol

Ejercicio de percepción

«Ahora no vas a notar el tiempo solamente sobre tu espalda, sino en toda tu piel. Sitúate en tu isla de la calma y siéntate sobre los talones o en la postura del sastre (ver pág. 21). *Cierra los ojos para que puedas concentrarte mejor en nuestro juego* (si lo desea, puede vendarle los ojos al niño).»

Niebla y lluvia muy fina

«Ahora pulverizaré un poco de niebla y llovizna sobre el dorso de tu mano izquierda. ¿Notas la niebla agradablemente fresca? ¿Notas sus gotitas? Ahora le toca a la otra mano. ¿Notas alguna diferencia? ¿A lo mejor también te gustaría sentir un poco de niebla en la cara?»

Texto de introducción que favorece las sensaciones del niño

¡Ahora viene el viento!

(Sople suavemente sobre las zonas húmedas.) *«¿Notas una suave* brisa? ¿Qué le pasa a tu piel cuando hace viento? (Tome una toalla o un trapo y agítelo para ventilar al niño.) *El viento es cada vez más fuerte. ¿Dónde lo notas primero?*»

El Sol que calienta

Texto de introducción para el brillo del Sol

«*El Sol brilla con fuerza y calienta las partes de tu cuerpo que aún están un poco húmedas.* (Acerque la lámpara de pie a la piel húmeda.) *¿Cómo se nota eso? Imagínate que estás de vacaciones. Has estado mucho rato jugando en el mar y ahora te estás calentando al sol. Disfruta del calor en la piel mientras lo encuentres agradable. ¿Cambiamos los papeles?*»

Viaje imaginario al país del arco iris

Un ejercicio para calmarse

«*Para acabar me gustaría contarte una historia. Cierra los ojos y estírate cómodamente en tu isla… Imagínate que es un hermoso día de verano y que estás paseando por un prado. Brilla el Sol y el cielo está despejado. De repente ves un punto muy lejano al final del camino. Sientes curiosidad y te fijas más en él. Te diriges hacia allí. Cada vez se hace más grande y pronto puedes ver que brilla en muchos colores: ¡Al final del camino hay un arco iris! Cuanto más* te aproximas, más grande se hace. Un extremo del arco iris toca tu camino. Pasas a través del arco iris y a cada paso disfrutas de sus colores. Con el primer paso entras en el rojo. Todo es rojo. Notas el rojo en tu piel, lo respiras. Al dar el segundo paso entras en el naranja. También este color te cubre como si fuese una neblina. El tercer paso te lleva al amarillo del arco iris. Notas el amarillo sobre ti. Luego pasas al verde. Un verde brillante. Luminoso y transparente. Con el siguiente paso entras en el azul. Te envuelve como el cielo. Un paso más y ya estás en el violeta, respiras el color violeta…*

Avanzas un paso más y ya estás al otro lado del arco iris. ¿Hay algún color que te haya gustado especialmente? Pues entonces llévatelo como un velo durante el resto del camino. En el otro lado empieza el país del arco iris. Todo brilla con los más hermosos colores del arco iris: flores, árboles, incluso las calles y las casas. Pasea por el país del arco iris durante todo el rato que te apetezca. Míralo todo tranquilamente y con calma. A lo mejor también te apetece bailar con tu hermoso velo… Te doy tiempo para que sigas soñando. Cuando quieras regresar no tienes más que abrir los ojos. Desperézate y estírate.»

Texto de introducción al país del arco iris

Expresar con palabras los intensos colores

Grupo de ejercicios de árbol

Los árboles forman parte de nuestra vida. Cuando paseamos por el bosque se recupera tanto nuestro cuerpo como nuestra mente. El verde de sus hojas le sienta muy bien a la vista. Respiramos el aire puro de los bosques. Huele a vegetación, a resina, a setas y a tierra húmeda. Lo respiramos y captamos la naturaleza con todos los sentidos. Los árboles aguantan. Frenan la suciedad y el ruido. Mantienen el equilibrio climático. E incluso a nosotros, los que paseamos por los bosques. Y los árboles proporcionan sombra, fruta, espacio vital.

Crecer como un árbol

«*Imagínate que eres una castaña. La castaña tiene forma redondeada y es el fruto del castaño. Por lo tanto, hazte muy pequeño y redondo… Vaya, un niño te ha cogido. Tú eres una pequeña castaña, y el niño te aguanta en su mano y te acaricia. Esa castaña es tan bonita y tan lisa* (acaricie la espalda del niño). *El niño se lleva la castaña a casa y la planta en la tierra de su jardín* (cubra al niño con una manta suave y cálida). *Bajo tie-*

rra es muy oscuro. En primavera el Sol calentará la tierra. La semilla del castaño reventará su envoltura y empezará a germinar. (Acompañe con gestos las siguientes explicaciones:) *Despliégate lentamente. Tus brazos son las primeras hojitas de la planta. Extiéndelos hacia el Sol. Sigue creciendo. La luz solar te da fuerzas. Tus pies son las raíces, te sujetan fuertemente a la tierra. Sigue estirándote hacia el Sol.*

El árbol cada vez es más alto y más fuerte, tiene un tronco robusto y una copa muy densa. En verano ya han aparecido todas las hojas. Hace viento, unas veces suave y otras fuerte. Agita las hojas de un lado a otro.

Déjese llevar por el tema

Este ejercicio de movimiento animará a su hijo

Texto de introducción al árbol

Orgullosos, protectores, atractivos: los árboles son como un hogar

A lo mejor se doblan las ramas, pero el tronco y las raíces aguantan bien al árbol. Al llegar el otoño se van cayendo todas las hojas. El ambiente se relaja alrededor del árbol. Y éste se recoge para la época de reposo invernal. Cuando llegue la primavera volverá a recobrar su verde esplendor.»

Bajo las hojas

Ejercicio para relajarse

Esto es lo que va a necesitar:
- Muchas hojas distintas o trozos de papel de periódico

Posición de partida
Su hijo está acostado de espaldas (ver pág. 20) en la isla de la calma. Usted le habla, él escucha.

Texto de introducción: escondido bajo una capa de hojas

«Descansa. Cierra los ojos. Imagínate que estas echado sobre el blando suelo del bosque. Cada vez que expulsas el aire te hundes un poco más en el suelo. La cabeza se hunde un poco más, los brazos se hunden un poco más, tu espalda se hunde más, las piernas se hunden un poco más. Tú mismo pasas a formar parte del suelo del bosque. En otoño caen todas las hojas y cubren el suelo (cubra el cuerpo del niño con muchas hojas o con recortes de periódico). *¿Quieres que también te cubra la cara? Ahora el suelo ya está cubierto de hojas. Lo mantienen caliente. Podrá soportar el reposo invernal.»*

La memoria de las hojas

Ejercicio de percepción

Esto es lo que va a necesitar:
- Diversos pares de hojas de distintos tamaños

Posición de partida
Su hijo está en la isla de la calma y permanece sentado sobre los talones (ver pág. 23). Usted habla, el niño escucha.

Palpar, tocar, notar: ¿Qué hoja debe ser ésta?

Texto de
introducción a
tocar las hojas

Sentir una hoja

«Cierra los ojos (a los niños más pequeños es mejor vendárselos con un pañuelo). *Te he traído un regalo para que lo notes. Pon las manos formando un cuenco. Ahora te lo pongo* (una hoja) *ahí. ¿Sabes lo que es? ¿Lo notas áspero o rugoso? ¿Tiene el borde liso o aserrado? ¿Cómo notas la hoja sobre el dorso de tu mano? ¿Y en la cara? ¿Huele? Frota un poco entre tus dedos, así desprenderá mejor su aroma.»*

Reconocer las hojas

Esparza algunas hojas por el suelo alrededor de su hijo (debe haber por lo menos dos que sean iguales).

«Ante ti hay varias hojas. Siéntelas. Siempre hay dos que resultan iguales. Busca esa pareja. Más tarde podrás verlas y pensar a qué árboles o arbustos pertenecen.»

¿Qué es un mandala?

Un mandala es un dibujo circular dispuesto uniformemente alrededor de un punto central. Puede ser dibujado siguiendo un modelo, puede ser inventado y puede ser realizado con diversos materiales. Realice con su hijo un mandala de hojas. Potencie la capacidad de concentración empleando una música calmada y poco ruidosa.

Mandala de las hojas

Juego para
calmarse

Esto es lo que va a necesitar:
- Muchas hojas
- Algunas ramas y piedras pequeñas

Posición de partida

Ponga una piedra en el suelo para marcar el centro.

«Toma algunas ramas, hojas y piedras. Ordénalas alrededor de la piedra como mejor te parezca. ¿Puedo participar? Así podríamos hacer a medias un dibujo muy bonito. Para finalizar contemplaremos nuestra obra tranquilamente. ¿Quieres que le hagamos una foto?»

Así pueden jugar también fuera

▶ Saque a pasear a su hijo con los ojos cerrados y guíelo hasta un árbol. Déjele tocar la corteza, abrazarse al árbol. Apártelo unos cuantos pasos. Con los ojos abiertos deberá identificar el árbol que ha tocado.

▶ La próxima vez que salgan a pasear por el bosque, lleve lápices y papel para dibujar. Coloque el papel sobre la corteza de un árbol y frótelo por encima con el lápiz. Así podrá conseguir calcos de las distintas texturas de las cortezas. Al llegar a casa, el niño podrá volver a repasarlas en calma.

Más ideas para
juegos
relacionados
con el árbol

Grupo de ejercicios de perro

¿A qué niño no le gusta jugar con un perro? Este grupo de ejercicios le ofrece la oportunidad de mimarlo.

Sacar a pasear al perro

Ejercicio de movimiento para animarse

Su hijo ahora es el perro. Enséñele las ordenes de «¡Sentado!» y «¡Dame la patita!». Si su niño quiere ir de la correa, pásele un pañuelo o un cordel por la cintura.

«*Hoy jugaremos al perro y su amo. Yo seré el amo y te sacaré a pasear. Después cambiaremos los papeles. Por lo tanto: ponte a cuatro patas. Ahora te pondré la correa y te sacaré a pasear. ¡Vamos allá! Un perro tiene que olfatearlo todo, tiene muy buen olfato. Su nariz le dice quién ha pasado anteriormente por ese camino. Olfatea: ¿Serán quizás las huellas de nuestro vecino? Encuentra un palito y lo lleva en la boca durante un rato. ¿Quieres que lo lance? ¡Ve a buscarlo! ¡Pero de repente olfatea el rastro de un gato, se suelta y echa a correr! ¡Vuelve aquí enseguida! Pero no, él sigue persiguiendo al gato, corre por el campo, se mete en el bosque, cruza un arroyo. El gato trepa a un árbol y el perro se queda abajo acechándolo y ladrando. ¡Él no puede subir! ¡Ven aquí de una vez, perrito, quiero volver a casa! ¡Sentado, dame la patita!* (Ahora cambien los papeles)».

¡A todos los niños les gusta un perro así!

Texto de introducción a sacar a pasear al perro

Lavar al perro

«*Ven conmigo a nuestra isla de la calma, perrito. Estás muy sucio. Espera, te voy a sacudir el polvo del pelo* (sacúdale de arriba abajo con la palma de la mano)*. Tienes las patas lle-*

Ejercicio para relajarse

nas de barro (haga ver que le lava las manos y los pies con el chorro de una manguera, que se los enjabona, los aclara y se los seca). *Ahora voy a cepillarte el pelo* (frótele suavemente el cuerpo con la palma de la mano y efectuando movimientos longitudinales). *Eres un perro muy bueno, te has portado muy bien.* (Dele unos golpecitos amistosos en la cabeza y los hombros.) *Ahora te daré un hueso.*»

Memoria olfativa

Esto es lo que va a necesitar:
- Platitos de postre con algunos alimentos para olfatear tales como limón, queso, embutido, miel, manzana, plátano
- Un trapo para vendarle los ojos

Ejercicio de
percepción

Texto de
introducción
para la
memoria

«*Los perros tienen muy buen olfato. Pueden reconocer cosas desde muy lejos por su olor. Tú ahora eres un perro y tienes un olfato muy fino. Intenta reconocer un olor con los ojos cerrados. Delante de ti hay varios platitos. Todos pueden combinarse de dos en dos. ¡A ver si sabes cuáles! ¿Sabes qué es lo que estás oliendo?*»

Un sueño perruno

Historia para
calmarse

«*Ven aquí, perrito, y ponte a mi lado. Cierra los ojos. Descansa un*

poco después de un día tan canino. Enróllate y colócate junto a mí. Sueñas que eres un perro grande y fuerte con un pelaje largo y sedoso. Te divierte jugar, correr y disfrutar de tus energías. Disfrutas corriendo por los campos y notando el viento en tu cuerpo. A lo mejor ves una liebre y te diviertes persiguiéndola durante un rato; deprisa y cada vez más deprisa hasta que casi la coges. Pero la liebre es muy hábil. Efectúa un par de giros bruscos y desaparece. A lo mejor encuentras otro perro con el que te apetece medir tus fuerzas. Corres y juegas con él. Sueña con tus aventuras perrunas durante todo el tiempo que quieras (acaricie a su perro para tranquilizarlo).»

Texto de
introducción al
sueño perruno

Seguro que
esto le gusta
a su pequeño
revoltoso: un
tierno masaje
de golpecitos

Grupo de ejercicios de la granja

¡Una granja! ¡Qué gran cantidad de sonidos y olores asaltan de repente al niño! Y la cantidad de animales que hay allí...

Caminar como los animales

«Hoy vamos a imaginarnos que estamos en una granja. Aquí hay muchos animales distintos, y cada uno se mueve de forma diferente. Ven, vamos a caminar como los caballos. Con sus largas y estilizadas patas. Y ahora como vacas, un poco más pesadas. Nos enfrentamos empujándonos mutuamente con la frente. Ahorra caminaremos como

los cerdos: siempre a ras de suelo y revolcándonos en el barro. Vaya, ¡pero si también hay gallinas! Picoteamos grano del suelo. Caminamos tambaleándonos como las ocas. Y ahora vamos a merodear como un gato y a saltar como un cachorro. Pero ahora ya estamos cansados. Nos acostamos de espaldas y sacamos a todos los animales de nosotros.»

Revolcarse en el heno

«Imagínate que estás en el pajar de la granja. Aquí hay una acumulación de heno de más de un metro de altura. Es el lugar ideal para esconderse o para ponerse cómodo. Buscas un sitio en el que nadie te pueda encontrar. Te revuelcas hasta darle forma al lecho y con las manos le configuras el borde. Ahora saltas hasta allí desde lo alto del pajar. ¡Qué blando es! A lo mejor saltas unas cuantas veces más en la paja hasta que te cansas. Te estiras en tu rincón y te enrollas como un gato. ¡Qué bien! El heno es blando y cálido. Huele a hierba y a flores.

Texto de
introducción
para arrullarse

Respira a fondo el olor del heno. Te notarás cansado. Cada vez que respires te hundirás un poco más en el heno: tu cabeza se hunde, tus brazos, tu vientre, ahora el culito. Disfruta del sueño hasta que yo te despierte. Desperézate y estírate como cuando te levantas por las mañanas.»

SUGERENCIA

Adivinar animales:
algunas sugerencias más

Haga que su hijo intente adivinar algunos animales más difíciles, como por ejemplo: estornino, golondrina, mosca, mosquito.
▶ Anime a los niños mayores a que jueguen también: dígales que intenten adivinar animales por las posturas.

Adivinar animales

Ejercicio de
percepción

«Antes ya hemos jugado a imitar a los animales. Ahora vamos a intentar adivinarlos. Tú haces un sonido y yo adivinaré qué animal estás imitando. Luego cambiaremos: yo haré los sonidos y tú intentarás adivinarlo.»

En la granja

Una historia de
olores para
calmarse

«Acomódate en tu isla de la calma y vuelve a imaginarte que estás confortablemente instalado en tu pajar. Cierra los ojos e instálate en un rincón blandito… Imagínate que es la primera vez que vas a una granja. Todo es nuevo para ti; estás atento a todo lo que ves. Pasas al patio y te diriges hacia la izquierda, hacia los establos de los caballos. Allí hay caballos y póneys. Acaricias a un pony marrón muy manso. Le rascas la nariz, el cuello y bajo sus largas crines percibes el olor carac-

terístico y ligeramente dulzón de los caballos. En las porquerizas decides pasar poco rato porque el olor es muy fuerte, pero sin embargo decides entrar para ver a los lechones recién nacidos. Al cabo de un rato ya te has acostumbrado al olor. Cruzas el patio de nuevo y acaricias un perro. También él tiene su olor característico. No te desagrada. Finalmente llegas a la cocina. Desde lejos has percibido ya el aroma del pan recién salido del horno: un olor que hace que la boca se te haga agua. En el fogón hay una olla. La granjera levanta la tapa para remover. Por toda la cocina se esparce el aroma de una sopa excelente. Tienes suerte, la granjera te invita a comer. Sopa con pan recién hecho. Mmmm, parece buenísimo…»

Texto de
introducción:
los olores de la
granja

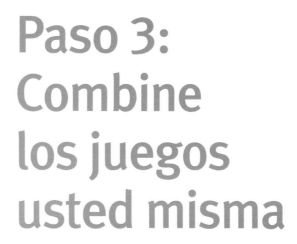

Paso 3: Combine los juegos usted misma

Ahora ya ha aprendido juegos
sueltos y grupos de juegos.
A lo mejor le apetece avanzar más
y le gustaría crear sus propios
conjuntos de ejercicios para jugar,
relajarse, percibir y descansar
tanto usted como su hijo.
En este capítulo encontrará muchos
ejercicios, juegos y entretenimientos
que se prestan mucho a combinarse
o complementarse entre sí.
Naturalmente, todos estos ejercicios
también puede combinarlos con los
que ha ido viendo a lo largo de los
capítulos anteriores.

Crear sus propios grupos de ejercicios

En los últimos capítulos ha visto cómo poder relajarse y tranquilizarse con su hijo en medio de todo el estrés de la vida cotidiana. Su niño ya empieza a tomarse los ejercicios con confianza. Seguro que disfruta de estos ratos de descanso con usted; y en la vida cotidiana, seguro que ahora usted detecta mejor cuándo le convendría un poco de calma a su hijo.

Más ideas para combinar y variar

A lo mejor le gustaría modificar o sustituir uno de los ejercicios. O busca más elementos que le permitan lograr que sus ratos de reposo sean más intensos y variados. Este capítulo le ofrece numerosos ejercicios cortos destinados precisamente para eso. Puede emplearlos sueltos o combinarlos entre sí. Los ejercicios de las siguientes páginas los hemos ordenado según sus características fundamentales: movimiento, relajación, percepción y tranquilidad.

Empleo correcto de los ejercicios sueltos

Empiece siempre por un ejercicio adecuado para el estado en que se encuentra el niño en ese momento. Si le parece que en ese momento necesita tranquilidad y concentración, ofrézcale un ejercicio de relajación o un ejercicio para calmarse. Si el niño se encuentra físicamente tenso, juegue con él realizando un ejercicio de movimiento. Si lo que prefiere es estimular los sentidos del niño, será mejor que elija un ejercicio de percepción. Lea la página 13 y siguientes para saber más cosas sobre los efectos de los diferentes tipos de ejercicios y cómo emplearlos.

Encontrar el ejercicio adecuado

SUGERENCIA

Combinación de ejercicios

Si le parece que su hijo necesita una larga fase de relajación, entonces elija un conjunto de ejercicios (a partir de la pág. 43).
O forme usted misma su sesión personalizada a base de unir dos o más ejercicios sueltos. Así podrá elegir aquéllos que más le convengan o que más le gusten. Por ejemplo, formando las siguientes variantes:
- Ejercicios de movimiento y de reposo
- Ejercicios de movimiento y de relajación
- Ejercicios de percepción y de reposo
- Ejercicios para relajarse, percibir y reposar

Recuperación activa:
Ejercicios de movimiento

Los ejercicios de movimiento ayudan principalmente a eliminar la tensión física (ver también la pág. 13). Después el niño aceptará mejor los ejercicios de relajación.

Juegos de semáforo

Esto es lo que va a necesitar:
- Tres discos grandes de cartón, uno verde, uno amarillo y otro rojo.

Así explicará el juego

«Mira, aquí tengo tres discos de cartón de colores como los que ya conoces de los semáforos. Y de esto va nuestro juego: tú te mueves por la habitación. En cuanto yo levante el disco rojo y diga ROJO, te detendrás inmediatamente. Cuando levante el amarillo y diga AMARILLO empezarás a mover las piernas sin moverte de sitio. Y cuando levante el verde y diga VERDE deberás seguir corriendo.»

Así puede seguir jugando

▶ Si acompaña este ejercicio con música (por ejemplo un vals), es probable que a su hijo le apetezca bailar. Si lo desea, en vez de hablar cada vez que cambie de color puede bajar el volumen de la música. Entonces el niño mirará hacia usted para ver cuál es el color que levanta.

▶ Usted puede cambiar sus órdenes. Por ejemplo así: verde = gotas de lluvia, amarillo = Sol, rojo = nubes

O bien: verde = tierra, amarillo = aire, rojo = fuego

O bien: verde = rana, amarillo = abeja, rojo = cigüeña.

Algunas posibles variantes

▶ También puede buscar otras palabras junto con su hijo, o dejar que sea él quién las elija.

SUGERENCIA

Estos ejercicios de movimiento ya los conoce:

- Lavarse con el jabón mágico (pág. 34)
- Cortar madera y trocear la leña (pág. 35)
- Notar el contacto con la tierra (pág. 45)
- Un día de colada (pág. 48)
- Erupción volcánica (pág. 52)
- La danza de las hojas (pág. 55)
- Jugamos al tiempo (pág. 58)
- Crecer como un árbol (pág. 61)
- Sacar a pasear al perro (pág. 64)
- Caminar como los animales (pág. 66)

Juegos de equilibrio

Este juego estimula la capacidad de concentración del niño así como su sentido del equilibrio.

Una cuerda floja sin riesgo

Esto es lo que va a necesitar:
- Cuerda para saltar, cordel largo o línea marcada sobre el suelo

Así se juega

Sáquese las medias o los calcetines: usted es una equilibrista sobre la cuerda floja. La cuerda está muy alta, va de un árbol a otro. Usted y su hijo pasan sobre ella yendo unas veces hacia delante, otras hacia atrás y otras bailando sobre la cuerda. El niño ha de notar cómo coloca los pies, y ha de moverlos muy lentamente. Desarrollen algún tipo de acrobacia conjunta.

Lanzar, soplar, empujar por el aire: ¿Qué pañuelo volará más alto?

Juegos con pañuelos

Esto es lo que va a necesitar:
- Algunos pañuelos de cuello muy ligeros (pueden ser de gasa)

Así se juega

Lo mejor es acompañar el juego con una música que tenga algo de ritmo: lance un pañuelo hacia arriba, el niño deberá cogerlo. Láncense el pañuelo uno a otro. Láncelo tan alto y tan lejos como pueda.

Así puede seguir jugando

▶ Su hijo lanza el pañuelo hacia lo alto e intenta darse una vuelta o aplaudir antes de que caiga.

▶ Lance su pañuelo a la vez que él.

▶ Según la edad, aumente el número de pañuelos que flotarán en el aire a la vez.

En este ejercicio de equilibrio también resultan divertidos los pasos en falso

madas por nuestros brazos y nuestro cuerpo. *Las manecillas se mueven muy lentamente (girando sobre la cadera). Ahora empezaremos a jugar: las manecillas marcan las 3 horas... las 6.... y ahora las 12.»*

Variante para niños mayores

«¿Cuándo desearías inspirar y espirar? Encuentra tu propio ritmo. Coloca tus agujas en las ocho menos diez, en las cuatro y cuarto...»

A los niños mayores les divierte

Rodar la bola

Esto es lo que necesitarás:
- Dos bolas de madera o dos pelotas

El gran reloj de yoga

Según el reloj de yoga son las 5 en punto

Anime a su hijo a realizar este ejercicio practicándolo a la vez que él y explicándoselo sobre la marcha.

Así se juega

«Ponte de pie y con las piernas ligeramente separadas. Extiende los brazos hacia arriba todo lo que puedas. Apoya bien los talones sobre el suelo. Respira unas cuantas veces y sigue estirándote hacia arriba. Ahora imagínate que eres un gran reloj y que tus brazos son las manecillas. Haz girar tus brazos varias veces en el sentido de las manecillas del reloj. ¿Puedes hacerlo también en sentido contrario? Ahora nosotros nos convertiremos en dos relojes todavía más grandes. Las manecillas estarán for-

Texto de introducción al reloj de yoga

▼ **IMPORTANTE**

Kinesiología: ¿qué es eso?

La mayoría de los ejercicios de movimiento que aparecen en estas páginas son ejercicios de kinesiología. Son ejercicios en los que intervienen los dos hemisferios cerebrales así como las dos mitades del cuerpo. Ayudan a eliminar los bloqueos cerebrales causados por el estrés, lo cual hace que su niño pueda aprender y estudiar con mayor facilidad. La kinesiología resulta especialmente útil en los casos en que se produzcan dificultades para leer y para escribir. Los ejercicios de kinesiología también son útiles para los adultos, y les ayudan a conseguir que sus ideas y pensamientos vuelvan a fluir con normalidad.

Posición de partida

Siéntense ambos sobre los talones, cara a cara y a la distancia de un brazo (ver pág. 23). Cada uno tiene una bola en la mano.

La bola rueda en círculo

«Al principio cada uno hace rodar la bola a su alrededor. Para ello le hacemos describir un amplio arco con una mano, y luego la cogemos con la otra mano hasta llevarla al punto de partida. Lo haremos un par de veces. Luego intentaremos hacerla rodar en sentido opuesto.»

Bolas de largo recorrido

Esto educa la concentración: circuito en ocho

«Ahora intentaremos jugar juntos. Hago pasar la bola por detrás de mí. Cuando vuelva a tenerla delante la empujaré con mi mano derecha hacia tu mano izquierda. Tú te la pasarás por detrás hasta llegar a tu ma-

no derecha y me la harás rodar hasta mi mano izquierda (hacerlo luego en el otro sentido).»

Bolas cruzadas

Texto de introducción al circuito en ocho

«Me paso una bola por detrás de la espalda y luego la hago rodar en diagonal para que vaya de mi mano derecha a tu derecha. Tú te la pasarás también por detrás y la empujarás con la mano izquierda para que llegue a mi izquierda. Así la bola describirá un recorrido con forma de ocho. (Probarlo también en sentido inverso.)»

Variante para niños mayores

A los niños mayores seguramente les resultará más divertido ir aumentando la distancia entre ambos o incluso jugar con dos bolas a la vez.

Pintar el ocho

Texto de introducción para pintar el ocho

«Ponte de pie con las piernas ligeramente flexionadas. Extiende el brazo derecho hacia delante a la altura de los ojos. Ahora mueve el brazo dibujando un ocho en el aire. Queda tumbado delante de ti. El punto en que se cruzan las líneas del ocho está exactamente delante de tu nariz. Es importante que siempre sigas el movimiento de la mano con la mirada. Al principio ese ocho acostado es aún muy pequeño. Después de algu-

nas oscilaciones del brazo se va haciendo cada vez mayor. Imagínate que estás pintando el ocho en la pared con una brocha. ¿Sería azul, rojo o amarillo? ¿O preferirías otros colores? Los ochos se hacen cada vez más pequeños. Bajemos el brazo y ahora hagamos lo mismo con el brazo izquierdo.»

Más ideas

▶ El niño puede pintar los ochos en una hoja de papel.
▶ Pintar el ocho con tiza sobre una pizarra.

Sacudir polvo de oro

En este masaje golpea a lo largo de los meridianos (vías energéticas del cuerpo). Así se activan unas energías que revitalizan tanto el cuerpo como la mente.

Esto es lo que tendrá que explicar

«Estamos de pie uno delante del otro e imaginamos que se nos aproxima una nube de polvo de oro. Nos envuelve completamente en polvo de oro y luego se retira. Durante unos momentos disfrutamos al vernos cubiertos de oro, pero luego ya nos apetece sacudírnoslo. Primero nos sacudimos las manos y luego nos golpeamos el brazo izquierdo con la palma de la mano derecha: por la cara interna hacia arriba y por la externa hacia abajo (repetir dos veces). Nos sacudimos las espaldas con fuerza. ¡Uy! ¡Cuánto polvo se levanta! Ahora es la mano izquierda la que golpea el hombro derecho, baja por el lado externo del brazo y sube por el interno (repetir dos veces).»

Palabras claves para seguir

▶ Desenpolvar el cabello. Desenpolvar la cara
▶ A lo largo de la espalda hacia abajo. Por la cara exterior de las piernas hacia abajo (tres veces)
▶ Por la cara interna de las piernas hacia arriba (tres veces)
▶ Por las ingles a derecha e izquierda del ombligo y arriba hasta pasar el esternón
▶ Detenerse un poco en el esternón y sacudir durante 1 minuto
▶ Inspirar y espirar una vez profundamente. ¡Ahora ya estamos despiertos!

Para quedarse muy tranquilos: Juegos de relajación

Para realizar los ejercicios de relajación que describimos en este libro, su niño deberá permanecer acostado de espaldas y con los ojos cerrados; en esa posición es como mejor se tranquilizarán el cuerpo y la mente. El niño empieza a ser consciente de su propia respiración.

Muchos ejercicios de relajación ofrecen también la posibilidad de estrechar el contacto físico, de abrazarse y acariciarse (ver también la pág. 13).

Masaje con bola

Caricias que tranquilizan

Para potenciar el efecto de este masaje puede acompañarlo con una música de fondo tranquilizante y relajante.

Esto es lo que va a necesitar:
• Una pelota de tenis o pelota infantil de tamaño adecuado

Así se da el masaje
El niño deberá estar acostado boca abajo sobre una manta. Siéntese cómodamente sobre el suelo al lado del hombro de su hijo. Des-

pués de respirar algunas veces profundamente, coloque la pelota de tenis sobre la zona de los hombros del niño. Apoye la palma de la mano sobre la pelota y empiece a moverla en círculo sobre su espalda. Si habla con el niño, hágalo solamente sobre el masaje: ¿Le resulta agradable? ¿Aprieta demasiado o demasiado poco? Esta vez el niño deberá disfrutar solamente del masaje a secas, es decir, sin historias ni cuentos complementarios. Empiece masajeándole la espalda y la

Ser consciente de la pelota

SUGERENCIA

Estos ejercicios de relajación ya los conoce:

• Relajación consciente de los músculos (pág. 30)
• Cómo encontrar la postura y la respiración (pág. 31)
• Juego con la bola de masa (pág. 46)
• La cascada (pág. 49)
• El fuego interior (pág. 52)
• Nota tu respiración (pág. 56)
• Masaje de tormenta (pág. 59)
• Bajo las hojas (pág. 62)
• Lavar el perro (pág. 64)
• Revolcarse en el heno (pág. 66)

El masaje con una pelota es divertido y sienta bien

> De vez en cuando cambie de lado: debe sentarse una vez a la izquierda del niño y otra a la derecha. Después de un breve descanso, al niño probablemente le gustará mucho recibir un masaje así.

Hacer galletas

Posición de partida

El niño se encuentra acostado boca abajo en su isla de la calma. Usted le frota la espalda y le da masajes moviendo enérgicamente las manos mientras le explica un cuento sobre amasar la masa y hacer galletas con ella.

Un agradable masaje de espalda

nuca, ya que éstas son las regiones en las que suele haber más tensiones.

Zonas del cuerpo a las que también puede dar masaje

> La espalda a los lados de la columna vertebral, hacia arriba y hacia abajo.
> Los glúteos.
> Las piernas por separado, hacia abajo hasta el pie.
> Plantas y dedos de los pies.
> Las piernas por separado desde el pie hasta el muslo.
> Ambos brazos desde las manos hasta los hombros.
> Para acabar, fricciónele suavemente el pelo al niño con ambas manos.

Esto es lo que le explicará

«Hoy vamos a hacer galletas. Échate cómodamente boca abajo. Yo soy la pastelera y me voy a sentar a tu lado. Empezaremos por limpiar bien la mesa sobre la que vamos a trabajar (pasar varias veces la mano sobre su espalda). *Así. Ahora pondremos sobre la mesa la harina, el azúcar, la mantequilla y algunas hierbas aromáticas. Lo mezclaremos bien todo y lo amasaremos con las manos. Por fin he conseguido hacer una bola de masa, pero ahora tengo que seguir amasándola durante un buen rato. Ahora tomo un trozo de masa y lo aplano sobre la mesa empleando el rodillo* (frotar la espalda con largos movimientos longitudi-

Texto de introducción para hacer galletas

Galletas con formas de fantasía

nales). *Tengo muchos moldes para hacer galletas de distintas formas: estrellas, corazones, flores* (ir dibujando las formas con el dedo sobre la espalda del niño)... *Ahora pongo las galletas cuidadosamente en la bandeja del horno y la introduzco en éste* (cubrir la espalda del niño con una manta). *El horno se calienta mucho. Al cabo de un rato las galletas empiezan a desprender un aroma muy apetitoso. ¡Ya ha llegado el momento! Saco la bandeja del horno, dejo que las galletas se enfríen un poco y me las como todas* (mordisquee cariñosamente la espalda del niño). *¡Mmmm! ¡Qué bueno!»*

Así puede seguir jugando

▶ Deje que sea el niño el que elija el sitio en el que quiere que le muerda.

Visita al zoo

Posición de partida

Un masaje de espalda lleno de aventuras

El niño está acostado boca abajo en su isla de la calma. Acaricie con la palma de la mano toda la espalda de su hijo. Mientras usted le explica historias de animales, imite con los dedos la forma de caminar de éstos. Golpee, rasque o arañe suavemente la espalda del niño con sus dedos.

Así ha de empezar

«Acuéstate boca abajo en tu isla de la calma. Tu espalda es un prado. Lo voy a alisar con mis manos. Hoy todos los animales pueden salir de sus jaulas y de sus instalaciones y pasearse por todo el zoológico. Primero se acerca un elefante que camina lenta y pesadamente (hacer rotar lentamente las palmas de las manos sobre su espalda). *Bien, ahora tengo que volver a alisar el prado. De repente pasa un canguro saltando* (volver a alisar después de cada animal). *Ahora viene un mono que camina a cuatro patas y pasa un antílope que galopa elegantemente. Un tigre merodea por la zona sigilosamente. ¡Oh! Si es una foca que se desliza sobre su pesada barriga. Y le cede el paso al señor y la señora pingüino. El flamenco permanece de pie, los jerbos del desierto saltan en grupos..., el oso pardo camina majestuoso..., una gran serpiente repta hacia delante...Y por la noche los murciélagos revolotean silenciosamente sobre el prado.»*

Texto de introducción para la visita al zoo

Respirar una nube

Este ejercicio de relajación potencia la respiración profunda y tranquila de su hijo. Percibe cons-

Relajación con la ayuda de la imaginación

cientemente cada parte de su cuerpo. En su imaginación, el color respirado fluye a través de todo el cuerpo. Y esto le ayuda a eliminar sus tensiones físicas y psíquicas.

Así ha de empezar

«Acuéstate de espaldas sobre la manta. Intenta notar muy precisamente con qué partes del cuerpo tocas el suelo. Ponte un poco más cómodo. Ahora cierra los ojos. Respiras tranquilamente dentro y fuera… dentro y fuera.»

Llega la nube

Texto de introducción para el juego de relajación con la nube

«Ves un punto blanco muy lejos, en el horizonte. Te das cuenta de que cada vez se va haciendo más grande. Viene directamente hacia ti, cada vez crece más y más, y ves que se trata de una nube. Viene flotando lentamente por los aires y se detiene justo delante de tu nariz. Pero la nube es de un color: tu color favorito. Busca un color que te guste mucho. Puede ser el amarillo, el naranja, el rosa, el verde o el azul. Tu nube es preciosa, como si alguien hubiese hecho algodón de azúcar de tu color favorito.»

Ahora hay que inspirar la nube

«Empieza a inspirar el color de la nube y a dejar que penetre dentro de ti. Con cada inspiración absorbes el color y lo introduces en tu cuerpo. El color se expande totalmente dentro de ti. Fluye por tus pulmones, en tu vientre, por tus piernas, tus pies, tus brazos, en tu cabeza. Ahora hay tanto color en ti que lo llena todo y empieza a salir por las puntas de los dedos de las manos y los pies.»

Expulsión

«El color fluye a través de ti y vuelve a salir. Así te limpia y elimina todo aquello que te molesta o que te preocupa. Disgustos y enfados con otros niños. Problemas del colegio (o de la guardería)… Todo lo desagradable fluye hacia fuera. Disfruta durante un rato notando cómo el color fluye a través de ti, hasta que ya tengas bastante.»

Salir de la relajación

Acabar el ejercicio suavemente

«Inspira y espira profundamente un par de veces. Mueve los brazos y las piernas. Estírate y desperézate como al levantarte por la mañana. ¿Te apetece bostezar un poco?»

SUGERENCIA

Así puede ayudar a que se relajen los niños más pequeños

▶ Si su hijo todavía es demasiado pequeño como para poder concentrarse durante mucho rato, reduzca la duración de los ejercicios de relajación a la mitad.

▶ Observe atentamente los párpados cerrados de su hijo: en cuanto note que empiezan a vibrar inquietos, dele el siguiente impulso.

Para todos los sentidos: Juegos de percepción

¡Ooops, no es tan fácil controlar esta canica!

Su hijo percibe el mundo que le rodea a través de la vista, el gusto, el olfato, el tacto y el oído. Los ejercicios de percepción atañen a todos sus sentidos (ver también la pág. 15 y sig.).

Juegos con canicas

En este ejercicio el niño tiene que coordinar los movimientos de los ojos y las manos (ver también el recuadro de la pág. 73)

Posición de partida

El niño estará sentado sobre los talones o en la posición del sastre (ver pág. 21 y sig.). Tendrá los ojos cerrados y las manos formando un cuenco.

Esto es lo que va a necesitar:
- Un plato sopero
- Varias canicas

Nota las canicas

«*Te voy a poner una pequeña sorpresa en las manos* (una canica). *Tócala sin abrir los ojos. Siéntela con las puntas de los dedos… con toda la palma de la mano… con la mano derecha… con la izquierda… hazla ro-*

Texto de introducción para jugar con canicas

SUGERENCIA

Estos ejercicios de percepción ya los conoce:

- Juegos respiratorios (pág. 33)
- Música con vasos (pág. 37)
- Tierra, arena y piedras (pág. 46)
- Agua y hielo (pág. 49)
- Danza del fuego (pág. 53)
- Juegos con pompas de jabón (pág. 56)
- Percibir el tiempo (pág. 59)
- Memoria de hojas (pág. 62)
- Memoria olfativa (pág. 65)
- Adivinar animales (pág. 67)

dar entre ambas manos. ¿Cómo notas tu regalo misterioso?»

La canica da vueltas

«Ahora abre los ojos: pon las manos otra vez formando un cuenco y haz que la canica ruede por dentro. No se ha de caer. Prueba de hacer lo mismo con un plato sopero. Equilibra el plato sujetándolo con ambas manos, pero sin que tú cambies de posición. ¿Puedes hacerla girar en sentido opuesto? Más difícil todavía: pon una segunda canica en el plato. Ahora las dos se persiguen. ¿Cuál es la más rápida?»

Así puede seguir jugando

▶ Haga que las canicas rueden en línea recta sobre la alfombra
▶ Intente darle con su canica a otra que esté a una cierta distancia
▶ Dejar que las canicas bajen por un plano inclinado

Sugerencias para niños mayores

▶ Cuando el niño esté palpando la canica, pregúntele por lo que nota en ese momento, como por ejemplo: ¿Con qué dedo la notas mejor? ¿Tienes el mismo tacto con la mano derecha que con la izquierda?
▶ Prepare una pista para canicas un poco más difícil: emplee un plato plano en vez de uno para sopa. Añada varias canicas a la primera (quizás incluso de distintos tamaños).

Juegos con periódicos

Al realizar este juego el niño percibirá claramente su respiración. Oye claramente los sonidos que él mismo produce. Puede expresar sus tensiones internas y relajarse.

Esto es lo que va a necesitar:

● Una hoja doble de periódico para cada uno

Posición de partida

Siéntense en el suelo uno ante el otro y cada uno con una hoja de periódico.

Así le explicará el juego

«Hoy vamos a probar lo que somos capaces de hacer con un periódico. Primero vamos a doblar la

hoja. La movemos arriba y abajo, nos abanicamos con ella. Aguantamos la hoja de periódico a la altura de la cabeza y soplamos contra ella. Al principio muy flojo para que apenas se mueva. Ahora con más fuerza. Soplemos todo lo fuerte que podamos y dejemos que el papel aletee con nuestro aliento.»

Así pueden seguir jugando

Solucionar los problemas jugando

▶ Soplar contra el canto del papel para conseguir que silbe

▶ Arrancar lentamente finas tiras de papel, hasta que esté completamente troceado.

▶ Juntar todos los trozos de papel y hacer una pelota con ellos

▶ Apretarla con fuerza y meter en ella todos los enfados y preocupaciones

▶ Pasarse la pelota uno a otro

▶ Para acabar, tirar la pelota sobre el hombro hacia atrás para así liberarse simbólicamente de todos los enfados.

Juegos de percepción en los pies

Un juego para practicar la confianza y la responsabilidad

En este ejercicio el niño aprenderá a ir con los ojos vendados. Camina descalzo y lo percibe todo a través de sus pies (ver también la pág. 45). Aprende a mantener el equilibrio con los ojos cerrados. Cuando él haga de acompañante,

aprenderá a responsabilizarse de otra persona.

Esto es lo que va a necesitar:
● Muchos cojines, toallas, trapos, mantas, esterilla
● Pañuelo para vendarle los ojos

Posición de partida

Haga una calle de cojines a través de la sala. Entre los cojines habrá una separación del ancho de un pie. Jueguen descalzos.

¡Cierra los ojos! Ahora tienes que ver con los pies

Una nueva experiencia para unos pies pequeños

Texto de introducción para caminar por la calle sensorial

«Normalmente tenemos los pies encerrados dentro de los calcetines y los zapatos. Hoy vamos a jugar descalzos para poder sentir también con los pies. Éstos se alegrarán de disfrutar un poco del aire fresco. Los dedos y las plantas de los pies son muy sensibles y pueden palpar muy bien. Hoy vamos a averiguar qué tal pueden hacerlo los tuyos y los míos. Te voy a vendar los ojos para que puedas concentrarte mejor en tus pies.»

Por montañas y valles

«Te voy a llevar de la mano. Imaginemos que los cojines son montañas. Intenta pisar solamente las montañas. Pálpalas con los pies y apóyalos lentamente… En la próxima vuelta deberás pisar solamente los valles.»

Haga otra calle a base de diversos materiales. Emplee esteras, trapos de la limpieza, mantas, jerseys, pañuelos de seda o elementos similares.

¿Qué notas?

Texto de introducción: notar las diferencias

«La segunda calle consta de distintos sectores con un tacto muy distinto. Haremos lo mismo que antes y te guiaré lentamente a lo largo de esta calle. Quédate quieto sobre cada material y examínalo con las plantas de los pies. ¿Cómo lo notas? ¿Frío o cálido? ¿Suave o áspero? ¿Qué lugar encuentras más cómodo para tus pies?»

Así puede seguir jugando

▶ Para variar, véndese los ojos y deje que sea su hijo quien la guíe a lo largo del recorrido táctil. De vez en cuando a los niños les gusta ser quienes lleven la iniciativa en el juego.

▶ Si dispone de suficientes materiales como para poder poner dos ejemplares de cada elemento, juegue a la memoria táctil de los pies: conduzca al niño hasta determinado material, que deberá examinarlo detenidamente con el tacto de sus pies. Luego tendrá que caminar por la otra calle hasta dar con un elemento del mismo material.

Más ideas para jugar con los pies

En el circo

Esto es lo que va a necesitar:

● Dos instrumentos de percusión distintos (por ejemplo, un tambor y una campanilla, o unas castañuelas y un triángulo)

● Una cuerda pequeña

Así le explicará el juego

«Hoy vamos a jugar al circo. Yo me iré turnando entre ser el director y ser el mago. Como director, le presentaré a nuestro público los diferentes acróbatas y animales. Me reconocerás

Texto de introducción a la actuación circense

por el sonido del tambor (o de las castañuelas). En cuanto oigas el tambor, te transformarás en un artista circense. Te moverás o saltarás, al igual que hace el animal que yo te indicaré. Al cabo de un rato seré el mago Salamino y te haré un encantamiento que te sumirá en un profundo sueño. Me reconocerás por el sonido de la campanilla (o del triángulo).»

Animales en el espectáculo: peligrosos, simpáticos o potentes

El tigre salvaje

«*Ahora soy el director del circo: ¡Señoras y señores, estimado público! ¡Deseo presentarles a mi tigre salvaje!* (tambor). *El tigre se queda sentado en su sitio…, amenaza con las garras…, ruge salvajemente. ¡Y ahora siéntate sobre las patas traseras!*»

La ardilla alegre

«*Ahora soy el mago* (campanilla). *Hipnotizaré al tigre para que se duerma profundamente sobre su manta* (campanilla). *Y ahora el tigre dormido se transformará en una ardilla* (campanilla).

Director del circo (tambor)*: ¡Señoras y señores!* Ahora pueden ver a esta alegre ardilla. Ha tenido que practicar mucho, pero ya es capaz de saltar muy bien. ¡Y hop, y hop, y hop!*»

Así es divertido fijarse

El majestuoso elefante

«*Mago* (campanilla)*: Voy a hacer que la ardilla caiga en un sueño muy, muy profundo…*

Ahora la convierto en un elefante (campanilla). *Vean cómo el elefante camina lentamente balanceando su gran cabeza y sus largos colmillos de un lado a otro.*

Director de circo (tambor)*: Distinguido público, admiren a nuestro elefante de la India. También es capaz de caminar hacia atrás.*»

¡Rejas fuera! Ahora todos los animales están sueltos

El gran acróbata

«*Mago* (campanilla)*: Voy a hacer que el elefante caiga en un profundo sueño. Y ahora lo transformo en un acróbata* (campanilla).

Director del circo: Estimado público, ahora van a poder contemplar las increíbles habilidades de nuestro gran acróbata chino (tambor). *Se sube al trapecio…* (tambor) *salta desde una altura increíble…* (tambor) *pasa por la cuerda floja.*»

Final

«*Nuestra representación ha llega-do a su fin* (tambor). *Los artistas se despiden del público. ¡Muchas gracias y hasta la vista!*»

Así puede seguir jugando

▶ Números de hípica
▶ Juegos con pañuelos
▶ Payasos

Así puede ayudar a los niños más pequeños

▶ Si su hijo todavía no conoce muchos movimientos de animales, explíquele usted, como director del circo, cuáles son las peculiaridades del movimiento de cada animal que vaya citando.

Juegos con castañas

Percepción: algo bueno para el cuerpo

Hacer rotar castañas produce el mismo efecto que el Qigong chino, en el que se cogen dos bolas de metal con la mano y se las va moviendo en círculo. Es un excelente ejercicio para conservar la destreza de los dedos. Al mismo tiempo, la presión de las castañas activa los nervios de los dedos y de la palma de la mano. Dado que el sistema nervioso está extendido por todo el cuerpo, esto sirve para estimular y armonizar sus energías. También se movilizan todas las defensas del organismo.

Lo que usted va a necesitar:
● Varias castañas (o nueces)
● Un trapo

Posición de partida

El niño se sitúa en la isla de la calma y se sienta sobre los talones o en la posición del sastre (ver pág. 21 y sig.). Mantiene los ojos cerrados y pone las manos formando un cuenco.

Así le explicará el juego:

«*Colócate en tu isla de la calma y siéntate sobre los talones o en la posición del sastre. Cierra los ojos y forma un cuenco con las manos. Ahora te voy a poner algo para que lo toques* (varias castañas envueltas en un trapo de cocina). *Todavía no metas la mano en la bolsa. Tócala desde fuera. ¿Qué debe contener? Póntela junto a la oreja y agítala. ¿Qué oyes?*»

Texto de introducción al juego de las castañas

Palpar una castaña

«*Ahora ya puedes meter la mano. ¿Qué notas?... ¡Oh! ¡Fíjate, si son castañas! Saca una castaña y tócala con la mano derecha..., con la izquierda..., con la palma de la mano..., con el dorso de la mano... Póntela junto a la mejilla...*»

Rotar castañas

«*Ahora ponte dos castañas en la mano e intenta hacerlas girar una alrededor de la otra simplemente moviendo los dedos... Ahora en sentido*

Texto de introducción para hacer rotar las castañas

contrario… Prueba a hacer lo mismo con la otra mano.»

Así puede seguir jugando
▶ Lanzamiento de precisión: A ver quién le da con una castaña a un determinado objeto (o a otra castaña).
▶ ¿Qué te apetece construir a base de castañas (pared, círculo…)?

Probar cosas y pintarlas

Esto es lo que va a necesitar:
● Objetos domésticos o juguetes
● Papel y lápices de colores

Así le explicará el juego
«Siéntate en tu isla de la calma y coloca las manos en la espalda. Te pondré un objeto en las manos. Has de tocarlo sin mirar. ¿Qué podría ser?»

Texto de introducción para tocar y pintar

Variante para niños mayores
«Sujeta el objeto con una mano en tu espalda. Con la otra mano intenta dibujarlo lo mejor que puedas. Imagínate también sus colores. Después veremos si has acertado.»

Memoria de sonidos

Este juego de atención siempre resulta divertido de practicar, tanto si se hace en familia como si participan los amigos de su hijo.

Pero el juego solamente funciona si hay mucho silencio. Por lo tanto, estimula la concentración y el oír con atención.

Esto es lo que va a necesitar:
● Muchos envases vacíos de carretes de fotos (puede pedir que se los den en cualquier tienda de fotografía)
● Objetos para llenar los botecitos (monedas, arena, arroz, conchas, canicas…)

Así ha de preparar el juego
▶ Cada par de botecitos se llenan hasta la mitad con el mismo material. Agite varios botes a la vez para ver si el nuevo sonido se diferencia claramente de los demás. Cierre los botes.

Un nuevo juego de memoria

Así se juega
▶ Ponga los botes llenos delante de usted. Cada jugador agita dos botes y los vuelve a dejar en su sitio. Si un jugador detecta dos botes que suenen igual puede quedárselos. Gana el que consigue más pares.

Más ideas
▶ Para desarrollar una memoria de olores se pueden llenar los boteitos con distintas especias. También puede poner gotas de aceites aromáticos en trocitos de algodón. Si los botes están bien cerrados, el olor se conservará durante aproximadamente un año.

Y otro juego para el olfato

Un final relajante: Ejercicios para tranquilizarse

La mejor forma de finalizar un conjunto de ejercicios tranquilizadores es con un ejercicio de relajación. Pero los viajes imaginarios y otros ejercicios tranquilizadores también son muy útiles para conseguir que el niño tenga un sueño reparador después de un día muy agitado y lleno de emociones (ver las págs. 14 y 37).

Para sus viajes imaginarios...

Anteriormente ya hemos visto lo que hay que tener en cuenta para un viaje imaginario (ver recuadro de la pág. 38). Al iniciar uno de estos viajes imaginarios es necesario que el niño esté relajado en su isla de la calma. Usted puede colocarse con él. Procure que el niño perciba el contacto con el suelo. Haga que se fije en su propia respiración. Es mejor que el niño mantenga los ojos cerrados ya que así le será más fácil complementar lo que usted le explique con sus propias experiencias. Acaríciele suavemente la espalda y el pelo para tranquilizarlo mientras le va explicando el viaje imaginario. Compruebe si su niño

Así ayudará a su hijo a relajarse

sueña mejor oyendo una música suave y tranquila.

El rayo de sol

«Imagínate que estás echado en un prado. Aquí crecen flores muy bonitas y de todos los colores. Te estiras cómodamente. La hierba está muy blanda debajo de ti, casi como un colchón. Notas cómo entra y sale el aire de tu respiración. Dentro y fuera... Inspira profundamente: así notarás el aroma de la hierba, de las flores, de la tierra. El sol te calienta el vientre. Una suave brisa te refresca

Texto de introducción al viaje por el rayo de sol

SUGERENCIA

Estos ejercicios tranquilizadores ya los conoce:

- Viaje a una isla imaginaria (pág. 37)
- La piedra mágica (pág. 47)
- Retozar y pintar (pág. 50)
- Hacer volar pompas de jabón (pág. 57)
- Viaje imaginario al país del arco iris (pág. 60)
- Mandala de hojas (pág. 63)
- Un sueño perruno (pág. 65)
- En la granja (pág. 67)

la cara. Te encuentras tan a gusto que pronto empiezas a soñar… Pero algo te hace cosquillas en la nariz. Te lo sacudes con una mano…» «…¡Pero vuelve a estar aquí! Te cosquillea y te molesta y no te deja soñar en paz. ¡Vaya! ¡Pero si es un pequeño rayo de sol que te da exactamente en la nariz! Te produce tal cosquilleo que te hace estornudar. ¡Achís! Ahora ves el rayo de sol claramente delante de ti. Y te habla: ¡Hola! Te he despertado adrede. Soy un rayo de sol. Los niños del Sol me han enviado hacia ti. Te invitan a jugar con ellos. ¿Quieres venir? Dices que sí y no tienes más que sentarte sobre el rayo de sol. Enseguida empieza el viaje: te deslizas por el rayo de sol como por un tobogán, solamente que hacia arriba, hacia el Sol. Allí te recibe una multitud de niños. Todos tienen un cabello rojo y brillante y visten ropas largas y anaranjadas. Ríen y bailan a tu alrededor: "Somos los niños del sol. Todo el día estamos de buen humor. Baila con nosotros nuestra danza solar". Te cogen de las manos y empezáis a bailar juntos. Empezáis girando lentamente pero luego vais ganando velocidad. A ti te resulta muy natural. Es como si estuvieses en el tiovivo de la feria. Una vuelta más, y otra… No sabes cuánto tiempo llevas jugando con los niños del Sol. Finalmente, uno de los niños del Sol te dice: "Es hora de que vuelvas

a la Tierra. El Sol pronto se pondrá. Entonces en la Tierra será oscuro y no encontrarás el camino para volver a casa". Te despides de tus nuevos amigos, te subes en el último rayo de sol que brilla sobre la Tierra y te deslizas de nuevo hacia tu prado. Allí te rascas la nariz, te frotas los ojos y te vas a casa con una sonrisa en los labios.»

Viaje al país de los indios

«Hoy te voy a invitar a un viaje al país de los indios. Ponte un poco más cómodo sobre tu manta. Respira tranquilamente. Allá vamos: A lo lejos ves un ser que se te aproxima por el aire. A medida que se va acercando te das cuenta de que se trata de un caballo volador. Cuando llega junto a ti te invita a montarte en él. Tú te sujetas a sus crines y empieza el viaje. El caballo bate sus poderosas alas arriba y abajo…, arriba y abajo. Allá abajo ves nuestra ciudad cada vez más pequeña. Voláis hacia el oeste…

Al cabo de poco rato sólo ves campos y bosques allí abajo. Has llegado al océano y lo cruzas sin esfuerzo montado en tu potente corcel. Al cabo de un rato llegas finalmente a América, el país de los indios. Tu caballo aterriza suavemente en un poblado indio. Desmontas, le agra-

Un rayo de sol
nos induce a
soñar

Viaje a
un mundo
desconocido

deces el viaje y miras todo lo que te rodea. Los niños juegan entre las tiendas del poblado. Te invitan a jugar con ellos. Te dan unas ropas como las suyas para que te las pongas. Ahora ya pareces un niño indio. Empieza una tarde maravillosa. A lo mejor bailaréis alrededor de una hoguera. O jugarás al escondite con tus nuevos amigos. Quizás hagáis una carrera con los póneys. Tienes mucho tiempo para soñar con todo eso.»

Regreso

«Ya va siendo hora de volver. Despídete de tus amigos indios. Llama mentalmente a tu caballo volador. Vuela sobre el poblado, sobre las praderas…, sobre los bosques, sobre el ancho mar… hasta llegar a tu ciudad, de regreso a tu isla de la calma.»

Vuelo en globo

«Imagínate que estás en una feria. Contemplas los tiovivos y las atracciones. De cada extremo te llega una música diferente. La gente charla. Los niños ríen. Percibes el aroma del algodón de azúcar y de las almendras tostadas. ¡Mmmm! En un rincón de la feria descubres a un mago que lleva un hermoso racimo de globos de todos los colores. ¡Te encantaría tener un globo así de

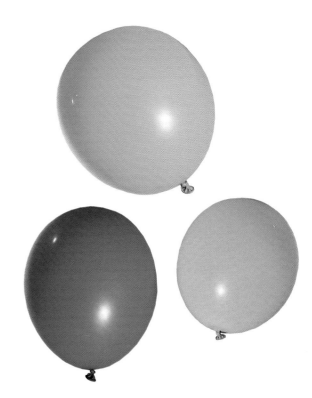

bonito! Contemplas durante un buen rato el brillante colorido de los globos. Flotan al extremo de sus cordeles, muy arriba, casi en el cielo. Te acercas y miras al mago clavando tu vista directamente en sus simpáticos ojos. Él te pregunta: "¿Quieres un globo? Coge éste tan grande con los colores del arco iris. Es un globo mágico". Y él te regala el globo más bonito y más grande de todos. Te entrega su largo cordel y te dice: "Sujeta bien tu globo mágico con ambas manos". Te sientes feliz con tu globo del arco iris y caminas unos pasos. De repente notas que tus pasos son cada vez más ligeros.

Apenas notas tu propio peso. ¡Solamente tocas el suelo con las puntas de los pies! Ahora ya has perdido el contacto con la tierra, flotas en el aire… Vuelas sobre la feria.

Flotar por los aires y dejar atrás todas las preocupaciones

Ahora sobrevuelas un camino que conduce a un prado despejado. Te sujetas a la cuerda con más fuerza y empiezas a subir y subir sobre el prado…, sobre los árboles. ¡Es maravilloso! Disfrutas de la ingravidez y te dejas llevar por el viento… Vuelas con él… Sueña durante un rato cómo flotas con tu globo. Y cuando quieras descender no tienes más que tirar un poco de la cuerda del globo con ambas manos. No tardarás en aterrizar suavemente sobre un prado. ¡Mira a tu alrededor! ¿Dónde has aterrizado?»

Una visita a los niños del agua

«Imagínate que estás estirado en un prado. El Sol calienta el suelo, te encuentras muy cómodo y te sientes feliz de poder estar tumbado sobre la hierba sin tener nada que hacer. Respiras el aroma a hierba y a tierra, oyes cómo cantan tus amigos los pájaros. Decides quedarte aquí hasta la hora de cenar y contemplar las formas de las nubes en el cielo… De repente oyes un sonido. Muy a lo lejos se oyen risas infantiles. Unas veces fuertes, otras flojas. Te asom-

bra un poco, ya que aquí en el bosque no suele haber nunca nadie. Te levantas lleno de curiosidad y sigues los sonidos. Proceden de donde está el lago. Ahora, además de las voces infantiles oyes también salpicaduras del agua. Unos pasos más adelante, al salir de una curva del camino, no puedes dar crédito a lo que ven tus ojos: en el agua juegan unos niños pequeños de piel verde y con el pelo verde. Se salpican agua unos a otros y parecen estar pasándolo en grande. Contemplas sus juegos atónito. De repente, una rama cruje bajo tus pies. Los niños verdes te miran asustados. Tú sales de tu escondite y les dices: "No tengáis miedo de mí. No voy a haceros nada. Yo también soy un niño y me gustaría jugar con vosotros en el agua". Los niños verdes se han quedado en silencio. Se te acerca una niña acuática un poco mayor y te observa con atención. Después de unos instantes dice: "De acuerdo, te creo. Puedes jugar con nosotros. Pero sólo si no nos delatas a los adultos. Nos da miedo que se rían de nosotros. Por eso preferimos que no nos descubran". Estás de acuerdo con ella y te desvistes. A continuación saltas al agua. Retozas, nadas y salpicas agua como un pequeño niño acuático. Vuestro tobogán es una roca lisa y resbaladiza. No paráis de trepar a ella para deslizaros hasta el agua. Sigues jugando hasta

Texto de introducción para la visita a los niños del agua

Describir la aventura con imágenes

quedar agotado. Entonces te despides de tus nuevos amigos y regresas al prado. Sabes que si sabes guardar el secreto de los niños del agua siempre serás bienvenido.»

La carta

El siguiente viaje imaginario le deja al niño mucho campo libre para incluir en la narración sus propios deseos y sus propias imágenes. Se le anima a comunicárselos a otra persona. Los niños mayores pueden escribir mentalmente una carta durante el sueño, los más pequeños suelen pintar su carta.

Esto es lo que le explicará al niño

Texto de introducción a la carta

«Imagínate que eres una carta. ¿Qué aspecto tiene tu papel? ¿De qué color es? ¿Está decorado? ¿Tiene alguna cenefa o algún dibujo? ¿A quién va dirigida la carta? ¿A quién quieres comunicarle algo? ¿Qué pone en tu carta? ¿Algún secreto? ¿Un cuento? ¿Un saludo amistoso? ¿Una invitación? La carta se introduce en un sobre y empiezas tu largo viaje. Primero hasta el buzón..., luego te transportan en tren..., después la furgoneta de reparto... Finalmente, el cartero te deposita en el buzón de la casa. Imagínate cómo llegas a la persona adecuada. Fíjate cómo abre la carta con curiosidad. ¿Se alegra de haberla recibido?»

Relajación con mandalas

Un mandala es un dibujo circular ordenado simétricamente respecto a un punto central (ver también el recuadro de la página 63). La vista del observador siempre converge en el centro. Su atención queda en el opuesto. Uno se concentra en su propio centro. En las librerías pueden conseguirse muchos mandalas que usted podrá colorear a su gusto. Trabajar mucho rato con un dibujo circular refuerza el efecto del mandala. A los niños les encanta pintar mandalas. Y muchos niños inquietos también disfrutan trabajando con estos dibujos y colores. Pero los mandalas también podemos inventarlos nosotros mismos, cubriéndolos con materiales naturales o rellenándolos con pinturas para ventanas.

Mandala con pinturas para ventanas

Esto es lo que va a necesitar:

Concentrarse resulta divertido

• Esquemas de mandalas (preferiblemente con un diámetro de aproximadamente 10 cm. Si son más grandes puede pedir que le hagan una fotocopia reducida)

Juego tranquilizante con un bonito resultado

Un mandala de diseño propio

Esto es lo que va a necesitar:
- Papel
- Lápices de colores

Así se diseña un mandala

Marque un punto en el centro de una hoja de papel y trace una amplia circunferencia a su alrededor. Ahora ya tiene un mandala vacío. Empiece a crear un dibujo circular alrededor del centro. Altérnense usted y el niño haciendo más dibujos circulares hasta llenar el mandala por completo.

Deje libre su imaginación iy la de su hijo!

Juntos es más divertido

También puede realizar mandalas junto con más niños: cada uno de ellos empieza con su mandala vacío, a base de marcar un punto central y trazar una circunferencia a su alrededor. Los dibujos circulares se van realizando a partir del centro. Cada uno le pasa su mandala recién iniciado al compañero de al lado para que lo continúe. Éste añade un dibujo y lo sigue pasando. Así se obtienen muchos mandalas diferentes.

Un mandala de arena

Esto es lo que va a necesitar:
- Esquemas de mandalas sencillos
- Tres bolsitas de arenas de diferen-

Así lo ha de preparar

▶ Pídale al niño que elija un mandala. Cúbralo con una lámina transparente y calque los contornos con pintura negra para ventanas. Déjelo secar durante unas 8 horas.

El niño colorea el dibujo

El niño puede rellenar el dibujo con pinturas de colores para ventanas. Para ello puede verter las pinturas directamente de las botellitas. El mandala tardará unas 24 horas en secarse. Luego podrá desprender el mandala de la lámina transparente y pegarlo como decoración sobre el vidrio de una ventana.

- Una lámina transparente
- Pinturas para ventanas (de las que los niños emplean para dibujar sobre los vidrios)

SUGERENCIA

Un mandala de arena duradero

Unte el esquema del mandala con cola blanca diluida con agua. Cuando el niño vaya vertiendo la arena sobre la superficie, ésta se quedará adherida. Así irá creando un mandala duradero.

tes colores (compradas o preparadas en casa; ver arriba a la derecha)
● Opcional cola blanca y pincel

Así se pueden preparar arenas de colores

Ser creativos
juntos

Usted puede comprar las arenas de colores en floristerías o en tiendas de material para trabajos manuales, o prepararlas usted misma: para ello mezcle agua y acuarelas (la solución no ha de ser transparente). Ponga arena para trabajos manuales en un plato sopero y mézclala con la solución. Remueva la mezcla varias veces al día. Al cabo de unos

tres días la arena se habrá secado. Guárdela en bolsitas de plástico. Cierre las bolsitas con un nudo y córteles una esquinita delantera.

Los niños realizan mandalas de arena

Su hijo elegirá un mandala sencillo. Para iluminarlo necesitará arenas de dos o tres colores distintos. Para ello pasará la bolsita con el agujero sobre las zonas marcadas como si fuese un rotulador grueso. La arena irá cubriendo el dibujo.

Muy sencillo:
arena de todos
los colores

Aromas para niños

Los aromas de la tabla pueden emplearse para complementar los ejercicios tranquilizadores. Todos estos aromas son adecuados para los ejercicios de relajación con niños ya que son ligeros y frescos. Puede conseguirlos en forma de aceites esenciales o de mezclas aromáticas.

Aroma	Olor	Efecto
Bergamota	afrutado	elimina contracciones y calambres
Geranio	dulce, floral	vitalizante
Pino	a bosque	vigorizante, ayuda para enfermedades de las vías respiratorias
Lavanda	fresco, floral	relajante, ayuda para las enfermedades de los bronquios
Naranja	afrutado	relajante, ayuda a conciliar el sueño, contra el nerviosismo
Romero	a hierbas	vitalizante
Salvia	a hierbas	fortalece los nervios, ayuda en casos de debilidad
Ciprés	a bosque	mejora el equilibrio nervioso

Acerca de este libro

En la actualidad es frecuente que hasta los niños pequeños se vean obligados a participar de una vida cotidiana llena de prisas, exigencias y nuevos estímulos, pero también citas, compromisos y obligaciones. Para poder estar en forma, los niños necesitan disponer de tiempo suficiente para relajarse, jugar y soñar. Esta guía le mostrará un modo muy sencillo de conseguir que su hijo se tranquilice jugando:

● En la parte práctica encontrará los 55 mejores viajes imaginarios y juegos de danza, movimiento, respiración, yoga y relajación: para desfogarse y relajarse, captar sensaciones y soñar.

● Los juegos están ligados a un programa de 3 pasos único y especial para niños: el primer paso consiste en sencillos ejercicios de aprendizaje; el segundo contiene grupos de ejercicios sobre diversos temas pertenecientes al campo de las experiencias del niño, y el tercero incluye diversos ejercicios cortos que usted misma podrá agrupar para crear un programa personalizado.

● Todos estos grupos de ejercicios están concebidos de modo que se adapten perfectamente a las necesidades del niño y constan de las siguientes partes: acordar, ejercitar, relajar, percibir y descansar.

● Con este libro podrá ayudar a su hijo a tranquilizarse, descansar y volver a ser consciente de sí mismo y de su entorno de un modo sencillo y lúdico. De paso estimulará su creatividad y capacidad de concentración.

● Además, usted también disfrutará de ese viaje a la isla de la calma y de todas sus intensas y maravillosas experiencias.

Acerca de la autora

Monika Zimmermann es doctora en ciencias naturales y profesora de yoga y de meditación. Desde hace muchos años imparte cursos de relajación para niños siguiendo un método desarrollado por ella misma y que le proporciona grande éxitos. Además de eso, también imparte clases para adultos asesorando a educadores y maestros sobre cómo tranquilizar a los niños.

La doctora Zimmermann nació en 1957 y vive junto con su marido y su hija en un pequeño pueblo cerca de Aachen, Alemania.

Índice alfabético

ADVERTENCIA

El contenido de este libro ha sido revisado muy a fondo. Sin embargo, deberá ser el lector quien decida si los consejos y ejercicios descritos se adaptan a sus condiciones personales y si pueden serles de utilidad. Ni la autora ni la editorial pueden aceptar ninguna responsabilidad por posibles daños o efectos secundarios derivados de llevar a la práctica lo expuesto en este libro.

Título de la edición original: **Kinder spielerisch zur Ruhe führen.**

Es propiedad, 2001
© Gräfe und Unzer Verlag GmbH, Munich.

© de la traducción: **Enrique Dauner**.

© de la edición en castellano, 2006:
Editorial Hispano Europea, S. A.
Primer de Maig, 21 - Pol. Ind. Gran Via Sud
08908 L'Hospitalet - Barcelona, España.
E-mail: hispanoeuropea@hispanoeuropea.com

Depósito Legal: B. 28390-2006.

ISBN-10: 84-255-1672-2.
ISBN-13: 978-84-255-1672-6.

Consulte nuestra web:
www.hispanoeuropea.com

Agradecimientos
Agradecemos la colaboración de todos los niños que han posado en las sesiones fotográficas para este libro, así como a la empresa Konfetti Kindermoden (Wörgl/Österreich) por ceder el material empleado para algunas fotos.

IMPRESO EN ESPAÑA

PRINTED IN SPAIN

LIMPERGRAF, S. L. - Mogoda, 29-31 (Pol. Ind. Can Salvatella) - 08210 Barberà del Vallès